GÖTTINGER ORIENTFORSCHUNGEN

VERÖFFENTLICHUNGEN
DES SONDERFORSCHUNGSBEREICHES ORIENTALISTIK
AN DER GEORG-AUGUST-UNIVERSITÄT GÖTTINGEN

In seinem Auftrag herausgegeben von

FRIEDRICH JUNGE

I. REIHE: SYRIACA

Band 23

Werner Strothmann

TEXTKRITISCHE ANMERKUNGEN ZU DEN GEISTLICHEN HOMILIEN DES MAKARIOS/SYMEON

1981

OTTO HARRASSOWITZ · WIESBADEN

WERNER STROTHMANN

TEXTKRITISCHE ANMERKUNGEN ZU DEN GEISTLICHEN HOMILIEN DES MAKARIOS/SYMEON

1981

OTTO HARRASSOWITZ · WIESBADEN

CIP-Kurztitelaufnahme der Deutschen Bibliothek

Strothmann, Werner:

Textkritische Anmerkungen zu den Geistlichen Homilien des Makarios Symeon / von Werner Strothmann. – Wiesbaden : Harrassowitz, 1981.
(Göttinger Orientforschungen : Reihe 1, Syriaca ; Bd. 23)
Einheitssacht. d. kommentierten Werkes: Homiliae
ISBN 3-447-02210-8

NE: Macarius ⟨Aegyptus⟩: Geistliche Homilien; Göttinger Orientforschungen / 01

Diese Arbeit ist im Sonderforschungsbereich 13 – Orientalistik mit besonderer Berücksichtigung der Religions- und Kulturgeschichte des Vorderen und Mittleren Orients –, Universität Göttingen, entstanden und wurde auf seine Veranlassung unter Verwendung der ihm von der Deutschen Forschungsgemeinschaft zur Verfügung gestellten Mittel gedruckt.

 Gesamtherstellung: Hubert & Co., Göttingen. Printed in Germany.

INHALTSVERZEICHNIS

Verzeichnis der Sigel und Abkürzungen

Aeg	Makarios Aegyptius	
Al	Makarios Alexandrinus	
B	Cod Vat Gr 694	Anm. 4
Βα	Basileios	
br	kurze Schrift	
Γ	Cod Athen Gr 272	
ep	Brief	
Ευ	Euagrios	
Εφ	Ephraem (GOF I 22)	
H	Geistliche Homilien	Anm. 2
h	Homilie	
I	Cod Iweron 1318	
int	Frage	
K	Neue Homilien	Anm. 3
Μα	Markos (Cod Vatopedi 181)	
P	Cod Panteleimon 129	
Σ	syrische Übersetzung (GOF I 21)	
Σ+	Cod Sin Syr 14	
TV	Symeon-Sammlung	
Φ	Cod Vat Arab 80	
Ψ	Cod Vat Arab 84	

EINLEITUNG

Die Schriften des Makarios/Symeon sind in griechischer Sprache verfaßt worden. Auf der Synode zu Side, die zwischen 383 und 394 stattfand, und auf dem 3. ökumenischen Konzil zu Ephesus im Jahre 431 wurden Sätze aus diesen Schriften als messalianische Sonderlehren verurteilt[1]. In mehreren Sammlungen sind uns diese Schriften überliefert: Die 50 Geistlichen Homilien wurden 1559 von Picus ediert[2] und die "Neuen Homilien" nach den Handschriften, Cod Athen Gr 272 = C - in dieser Schrift: Γ - und Cod Panteleimon 129 = R - in dieser Schrift: P -, 1961 herausgegeben[3]. Während von diesen beiden Handschriften nur das Sondergut veröffentlicht wurde, ist die umfangreiche Sammlung B (Cod Vat

1. H. Dörries, Die Messalianer im Zeugnis ihrer Bestreiter. Zum Problem des Enthusiasmus in der spätantiken Reichskirche, in: Saeculum 21, 1970, 213 bis 227.

2. J. Picus, Macarii Aegyptii Homiliae quinquaginta. Ex Bibliotheca Regia. Paris 1559; neue Ausgabe: H. Dörries - E. Klostermann - M. Kroeger, Die 50 Geistlichen Homilien des Makarios, PTS 4, 1964. Diese Ausgabe wird zitiert: H, Nummer und Zeile der Homilie.

3. E. Klostermann - H. Berthold, Neue Homilien des Makarius/Symeon, TU 72, 1961. Diese Ausgabe wird zitiert: K, Seite und Zeile.

Gr 694) vollständig ediert worden[4] mit Ausnahme des Großen Briefes (B 1), den R. Staats in einer besonderen Studie, AGA 1981, bearbeitet hat.

Schon früh wurden diese Schriften in andere Sprachen übersetzt[5]; zuerst in die syrische Sprache. Die älteste Handschrift dieser syrischen Übersetzung stammt aus dem Jahre AD 534. Die erste syrische Übersetzung (Σ), die durch eine große Zahl von Handschriften vertreten ist, verteilt die Schriften auf die beiden Namensträger, den Ägypter (Abkürzung: Aeg) und den Alexandriner (Al) Makarios, und unterscheidet Homilien (h) und Briefe (ep), während die jüngere (Σ+), die nur in einer Handschrift, nämlich in Cod Sin Syr 14, vorhanden ist, in erster Linie ἐρωταποκρίσεις enthält[6].

Zweimal wurden diese Schriften auch in die arabische Sprache übersetzt: Die älteste Sammlung W - in dieser Schrift Ψ - in Cod Vat Arab 84 aus dem Jahre 1055 enthält 26 Memrē = Logoi. Diese Sammlung fand J. Darrouzès in der griechischen Handschrift, Cod Par Gr 973 aus dem Jahre 1045[7]. In der zweiten arabischen Sammlung, die in den Handschriften, Cod Paris Arab

4. H. Berthold, Makarios/Symeon, Reden und Briefe Die Sammlung I des Vaticanus Graecus 694 (= B), GCS, I, II, 1973. Diese Ausgabe wird zitiert: B, Band, Nummer der Schrift, Seite und Zeile.

5. Armenische Übersetzung: B. Outtier, Un patéricon Arménien, in: Le Muséon 74, 1971, 229 - 351; georgische Übersetzung: ROC 29, 1933,

6. W. Strothmann, Die Schriften des Makarios in syrischer Überlieferung, GOF I, 21, Teil I (Syrischer Text) und Teil II (Übersetzung). Diese Ausgabe wird zitiert: Teil I bzw II, Seite und Zeile.

7. B I, LV.

149 (P), Cod Vat Arab 70 (T) und Cod Vat Arab 80 (V) - in dieser Schrift Φ -, vorhanden ist, heißt der Verfasser nicht Makarios, sondern Symeon[8]; in ihr werden nach der Gattung 36 Homilien (h), 41 bzw. 24 Fragen (int) und 20 bzw. 36 kürzere Schriften (br) unterschieden[9].

Viele Makarschriften sind in mehr als einer dieser erwähnten Sammlungen enthalten. Aber die Textform ist in allen Sammlungen nicht die gleiche, sondern unterscheidet sich durch mehr oder minder bedeutende Varianten, Umstellungen und Umformungen. Diese Unterschiede sind so groß, daß es mit den uns bis jetzt zur Verfügung stehenden Mitteln nicht möglich ist, für die einzelnen Schriften aus den verschiedenen Sammlungen einen einheitlichen Text herzustellen. Deshalb wurde darauf verzichtet und jede Sammlung gesondert ediert[10]. In der Ausgabe der Neuen Homilien werden zu einem Teil auch die Lesarten aus den anderen Sammlungen im Apparat angeführt und in der Edition der Sammlung B sogar zu einem großen Teil. Aber die Edition der 50 Geistlichen Homilien enthält nur Varianten der Handschriften dieser Sammlung. Lesarten aus den anderen Sammlungen werden nicht angemerkt, obwohl sie gerade für diese Sammlung von Wert sind[11].

8. L. Villecourt, Homélies spirituelles de Macaire en arabe sous le nom de Siméon Stylite, in: ROC 21, 1918/19, 337 - 344.

9. W. Strothmann, Makarios/Symeon Das arabische Sondergut, GOF I 11, 1975. Diese Ausgabe wird zitiert: S, Seite und Zeile.

10. E. Klostermann, Symeon und Macarius Bemerkungen zur Textgestalt zweier divergierender Überlieferungen, AAB Jahrgang 1943, Phil.-hist. Kl., Nr. 11.

11. U. Schulze, Das Verhältnis der geistlichen Homilien des Ps. Makarios, Diss theol Göttingen 1962.

Deshalb hatten Dr. K. Deppe +, Dr. O. Hesse und ich schon vor Jahren damit begonnen, zum Text der 50 Geistlichen Homilien alle Varianten aus den anderen Sammlungen zusammenzustellen. Da die Arbeit zu umfangreich wurde, habe ich alle Homilien ausgeschieden, die in der Sammlung B oder in den Neuen Homilien enthalten sind. Dies sind folgende :

H 1		B 9, I, 124, 2 - 133, 28
H 4		B 49, II, 107, 2 - 122, 23
H 5		B 48, II, 90, 2 - 106, 9
H 7		B 4, I, 59, 24 - 62, 18
H 8		B 4, I, 50, 1 - 52, 27
H 9,	2 - 71	B 18, I, 194, 21 - 196, 23
	71 - 159	B 15, I, 174, 9 - 177, 16
H 10		B 51, II, 135, 2 - 137, 18
H 11		B 53, II, 143, 2 - 150, 29
H 14,	2 - 26	B 30, II, 3, 1 - 4, 18
	29 - 70	B 14, I, 170, 15 - 171, 19
H 15,	2 - 99	B 54, II, 159, 16 - 163, 12
	100 - 130	B 45, II, 80, 8 - 81, 11
	131 - 445	B 32, II, 18, 2 - 26, 13
	446 - 536	B 33, II, 27, 2 - 29, 25
	537 - 605	B 45, II, 81, 12 - 83, 26
	606 - 762	B 4, I, 65, 6 - 70, 6
H 17		B 16, I, 178, 2 - 185, 18
H 18		B 13, I, 155, 2 - 160, 24
H 19		B 56, II, 173, 2 - 178, 24
H 20		B 12, I, 151, 2 - 154, 4
H 21		B 59, II, 189, 14 - 191, 25
H 23,	2 - 13	K 39, 5 - 17
	14 - 47	K 40, 21 - 41, 26
H 27	2 - 112	B 7, I, 103, 2 - 106, 22
	113 - 203	B 6, I, 87, 1 - 90, 9
	204 - 343	B 7, I, 106, 23 - 111, 21

H 29, 2 - 78	B 31, II, 5, 2 - 8, 11
79 - 99	B 31, II, 12, 28 - 13, 12
100 - 119	B 31, II, 15, 11 - 16, 3
H 37	B 36, II, 46, 5 - 50, 29
H 38, 2 - 29	B 34, II, 40, 24 - 41, 14
30 - 53	B 47, II, 88, 3 - 88, 24
H 39	B 14, I, 168, 18 - 168, 30
H 40	B 4, I, 42, 2 - 46, 4
H 41	B 18, I, 161, 2 - 166, 21
H 42	B 14, I, 171, 20 - 172, 12
H 43	B 14, I, 161, 2 - 166, 21
H 47	B 11, I, 141, 4 - 149, 23

Sechs von den 50 Geistlichen Homilien sind in keiner anderen Sammlung vorhanden: H 13, H 32, H 34, H 35, H 36 und H 45.

Der Text der übrigen 19 Homilien wurde mit folgenden Handschriften verglichen:

H 2

Γ - C, fol 111v 7 - 114r 21
Ρ - R, fol 113v 1 - 116v 20
Ι - J, fol 196r 1 - 198v 15
Φ - V, fol 87r 6 - 90r 15 (TV h 8)

H 3

griechisch: Ι - J, fol 175v 18 - 178v 14
syrisch : Σ Al ep 5 (Teil I, 225 - 230, Teil II, 149 - 154)
arabisch : Φ - V, fol 259v 14 - 262r 1 (T int 3/V int 2)
Als Schrift des Ephraem:
Eφ GOF I 22, 71 - 80 (W. Strothmann, Schriften des Makarios/Symeon unter dem Namen des Ephraem).
Zeile 41 - 91:
Γ - C, fol 78r 15 - 79v 23
Ρ - R, fol 75r 22 - 77r 18

I+ - J+, fol 224v 1 - 226r 6

H 6

Zeile 1 - 69:
I - J, fol 178v 15 - 180v 17
Σ Al ep 6 (Teil I, 232 - 235; II, 155 - 159)
Σ+ Sin 18 (Teil I, 327f.; II, 253f.)
Infolge Blattausfall fehlt in dieser Handschrift
H 6, 13 - 65.
Φ - V, fol 80r 1 - 82v 4 (TV h 6)
Zeile 70 - 108 = B 4, I, 58, 14 - 59, 23.

H 12

Zeile 1 - 249: Γ - C, fol 1r 1 - 8v 28
1 - 24: I - J, fol 138r 19 - 139r 6
I - J+, fol 232r 17 - 233r 5
25 - 69 = B 7, I, 111, 22 - 113, 15
70 - 252: P - R, fol 1r 1(H 12, 33) - 7r 23
Zwischen fol 5v und 6r Blattausfall :
H 12, 183 - 210.
I - J, fol 233r 5 - 236v 11 (= H 12, 186)

H 16

Zeile 1 - 116 = B 46, II, 84, 2 - 87, 25
115 - 182 = B 4, I, 62, 19 - 64, 23
183 - 219: I - J, fol 251v 22 - 252v 22.

H 22

Γ - C, fol 79v 23 - 80r 18
P - P, fol 77r 19 - 77v 15
I - J, fol 253r 2 - 253r 18
Φ - V, fol 258v 1 - 258v 12
Σ Sin 3 (Teil I, 267; II, 189)
Als Schrift des Ephraem:
Eφ = GOF I 22, 111 - 115.

H 24

Γ - C, fol 138v 28 - 141v 14
P - R, fol 146r 1 - 149v
I - J, fol 265r 10 - 267v 22
Φ - V, fol 75r 9 - 78r 8 (TV h 5)

H 25

Als Schrift des Makarios in der griechischen Handschrift:
I - J, fol 267v 23 - 272v 17
und in der syrischen Übersetzung:
Σ Al ep 1 (Teil I, 195 - 200; II, 129 - 134)
Σ+ Al ep 2 (Teil I, 201 - 211; II, 135 - 142).
Als Schrift des Symeon in der arabischen Handschrift:
Φ - V, fol 178v 16 - 182r 11 (TV h 31).
Als Schrift des Basileios:
Bα = J. Garnier, Basilii opera omnia, II², 1839, 872 bis 887; in der Überschrift des 830 beginnenden Anhangs bemerkt der Herausgeber: opera quaedam, quae ut nobis quidam videtur, ei falso adscripta sunt.
Als Schrift des Euagrios:
Eυ = J. Muyldermans, A travers la tradition manuscrite d'Évagre, Bibliothèque du Muséon 3, 1932, 55 - 60. (Siehe: E. Peterson, Irrige Zuweisung asketischer Texte: in: ZKTh 57, 1933, 271 - 274).
Als Schrift des Ephraem:
Eφ = GOF I, 22, 81 - 110.

H 26

Zeile 2 - 12: Γ - C, fol 72r 20 - 72v 19
P - R, fol 68r 1 - 68v
I - J, fol 218v 10 - 219r 3
Φ - V, fol 245r 3 - 245r 16 (V br 5)
Σ+ Sin 4 (Teil I, 269; II, 191f.)

13 - 301 = B 7, I, 92, 5 - 102, 20
302 - 366 = B 6, I, 82, 17 - 84, 23.

H 28

Zeile 1 - 100: I - J, fol 272v 17 - 275v 20
Φ - V, fol TV h 30
1 - 55: Φ - V, fol 176v 11 - 177v 14
56 - 90: Φ - V, fol 177v 21 - 178v 14
91 - 99: Φ - V, fol 177v 14 - 177v 21
99 - 100: Φ - V, fol 178v 15.

In den syrischen Übersetzungen:
Σ 12 - 30: Aeg h 3, 193 - 221 (I, 68f,; II, 45f.)
Σ 56 - 66: Aeg h 3, 222 - 239 (I, 70f.; II, 46f.)
TV h enthält am Anfang vor dem Beginn von H 28 noch drei längere Abschnitte (S 52 - 56).

H 30

Γ - C, fol 125v 21 - 130v 12
P - R, fol 130r 15 - 135v 26.

H 31

Zeile 1 - 91:
Γ - C, fol 130v 13 - 133r 26
P - R, fol 136r 2 - 139r 26
I - J, fol 113r 21 - 116r 17
26 - 44 = B 4, I, 49, 4 - 49, 31
61 - 77:
Γ - C+, fol 142v 11 - 143r 27
P - P+, fol 151r 1 - 151r 12
Φ - V , fol 79r 5 - 79v 4 (TV h 5)
K = 129, 13 - 130, 4

H 33

Der erste Teil dieser Homilie, Zeile 2 - 39 bzw 42, ist in dieser Textform nur in der Sammlung H vorhanden.

Es gibt aber dazu eine Parallelüberlieferung in
Γ - C, fol 172v 12 - 174r 22
P - R, fol 181v 4 - 183v 2
I - J, fol 127r 22 - 127v
Zeile 40 - 56:
Als Schrift des Symeon: Φ - V, fol 110v 7 - 17 (TV h 11)
Als Schrift des Ephraem: Eφ = GOF I 22, 49 - 51
W. Bousset, Apophthegmata, 1923, 59, weist darauf hin, daß sich in der von E. Amélineau, Histoire des monastères de la Basse-Gypte, in: Annales du Musée Guimet 25, 1894, herausgegebenen Sammlung, Vertues de St. Macaire, Nr. 58, S. 174, wörtliche Anklänge an H 33 finden.

H 44

Γ - C, fol 153r 1 - 159r 6
P - R, fol 162v 16 - 168r 14
I - J, fol 116r 19 - 122r 15
Infolge Blattausfall zwischen fol 118v und 119r fehlen in dieser Handschrift: H 44, 41 - 68.
Φ - V, fol 164r 11 - 169r 6 (TV h 27).

H 46

Zeile 1 - 43:
Γ - C, fol 175v 5 - 176v 25
P - R, fol 184v 19 - 186v 1
I - J, fol 308v 3 - 309v 14
Φ - V, fol 147r 11 - 148r 20 (TV h 22)
K = 152, 16 - 154, 9
Zeile 44 - 97:
Γ - C, fol 165r 13 - 167r 1
P - P, fol 173v 16 - 175r 23
Φ - V, fol 115v 1 - 116r 14 (TV h 13)
Zeile 61 - 97:
I - J, fol 111v 1 - 112v 11.

H 48

I - J, fol 257v - 260r 17
Φ - V, fol 90v 1 - 94r 9
Als Schrift des Ephraem:
Eφ = GOF I 22, 29 - 45
Als Schrift des Markos:
Mα = Cod Vatopedi 181 (AD 997), fol 150r I - 154r I.

H 49

Zeile 2 - 84: I - J, fol 259v 18 - 262v 19
2 - 44: Φ - V, fol 85v 4 - 87r 5 TV h 7
45 - 62: Φ - V, fol 84v 14 - 85v 4
63 - 84: Γ - C, fol 167r 1 - 167v 13
P - R, fol 175r 23 - 176 r 11
I+ - J+, fol 112v 11 - 113r 20
Φ - V, fol 116r 14 - 116v 8
K = 149, 18 - 150, 13

TV h 7 enthält vor dem Beginn von H 49 noch einige Abschnitte.

H 50

Zeile 1 - 47 = B 4, I, 56, 11 - 58, 11
48 - 66:I - J, fol 264r 21 - 264v 23
I+- J+, fol 72v 12 - 72v 26
66 - 76 = B 8, I, 119, 24 - 120,5
77 - 85 nur in H.

H 2

3. ἐν τῇ ἐξουσίᾳ] τὴν βασιλείαν Γ Ρ
4. ὡς ἂν] ὥσπερ ἐὰν Γ Ρ
   ἄνθρωπος] ἄνθρωπον Ι
5. αὐτὸν 〉 Ρ
   καὶ[2] 〉 Ρ
6. βασιλικὰ φορῇ 〉 Ρ
7. ᾐχμαλώτευσεν καὶ ἐμίανεν Ρ
8. αὐτοῦ βασιλείαν Ρ
   οὐκ] καὶ οὐκ Ι
   οὐκ ἀφῆκεν οὔτε] καὶ οὐδὲ Ρ
   οὔτε] οὐδὲ Γ
   αὐτῆς + ἀφῆκεν Ρ
9. ἀφ' ἑαυτοῦ Γ Ρ
10. τοῦ 〉 Γ Ρ
    σῶμα + τοῦ ἀνθρώπου Γ Ρ Φ
    μέρος] μέλος Γ Ρ
11. μέλος] μέρος Γ Ρ
    ἐστιν + πρὸ (+ δὲ Γ) τῆς παραβάσεως οὐκ ἦν πάθους δεκτικόν Γ Ρ Φ
12. τὰ τῆς κακίας πάθη] πάθος κακίας Γ Ρ
14. οὕτως + καὶ Γ
15. ἐγένετο] γέγονεν Ρ
17. λέγει τέλειον Ρ
18. καὶ ὦτα Γ
19. σῶμα] στόμα Γ
20. παλαιὸν + ἄνθρωπον Ι
    ἄνθρωπον[2]] καὶ Ι

21. μὴ] καὶ μὴ I
θεοῦ Φ + καὶ ἐνέδυσεν αὐτὸν I
22. καὶ > Γ P
23. καὶ[1] > P
πόδας] τοὺς πόδας P
ἔχῃ σπεύδοντας] ἐπισπεύδοντας Γ
ἔχῃ] ἔχων P
σπεύδοντας > P
κακοποιΐαν + σπεύδοντας P
ἀνομίαν ἐργαζομένας Γ P
24. καὶ ἡμεῖς > Γ P
25. ὅτι > P
αὐτὸς + γὰρ P
μόνος + δύναται Γ P
26. δύναται > P
27. αὐτῶν] αὐτοῦ Γ
28. ἐκ > Γ P
κακῆς] πικρᾶς P
κακῆς > I
ταύτης δουλείας P
29. ὅταν ἥλιος] ἥλιος ὅταν Γ P
πνέῃ + καὶ Γ P
ὁ] καὶ ὁ Γ
ἥλιος[2]] ἄνεμος P
ἴδιον σῶμα] ἰδίαν φύσιν P
30. ἰδίαν φύσιν[1]] ἴδιον σῶμα Γ P
ἄνεμος] ἥλιος ὁμοίως Γ P
ἴδιον σῶμα] ἰδίαν φύσιν Γ P
31. εἰ μὴ] ἢ Γ
32. μεμιγμένη ἐστίν] μέμικται P
33. ἔχουσα ἑκαστὴν P
ἐστίν > Γ
ἑκάστης + τὴν Γ
καὶ ἀδύνατον P

οὖν > Γ Ρ
34. τῆς + ὑποστάσεως τῆς Γ Ρ Φ
στείλη] στήσῃ Γ Ρ
35. ἄνεμον τοῦτον Ρ
37. πέτασθαι] πτᾶσθαι Γ, ἵπτασθαι Ρ
ὁ ἄνθρωπος Γ Ρ
38. μὲν > Γ Ρ
θέλειν] θέλῃς Ι, + αὐτῷ Γ Ρ
39. ἀλλ'] καὶ Γ
εἶναι + καὶ Γ
40. δὲ > Γ
ἔχει + ἀλλὰ Ρ
μὲν + θέλει μὴ ἔχων δὲ πτέρυγας ἀδυνατεῖ
πετασθῆναι Ρ Φ
εἰς - 41. πνεύματος > Γ
41. θέλει > Ρ
ἀλλ'- 42. δύναται > Ρ
λάβῃ] ἔχει Γ
42. οὐ δύναται] ἀδυνατεῖ πετασθῆναι εἰς τὸν ἀέρα
τὸν θεικὸν καὶ τὴν ἐλυθερίαν τοῦ ἁγίου πνεύ-
ματος Γ
δώῃ Γ Ρ
43. ἵνα] καὶ Ρ
44. χωρίσῃ Γ Ρ
καταπαύσῃ Γ Ρ
ψυχῆς + ἡμῶν Γ Ρ Φ
45. ἡμῶν > Γ Ρ
46. τοῦτο δυνατὸν Γ Ρ, + ἐστιν Γ
47. ποιῆσαι > Ρ
48. αὐτὸς + γὰρ Ρ
ἐποίησε + τῷ γένει Γ Ρ Φ
49. λυτροῦται + αὐτοὺς Γ Ρ
50. τοῖς > Γ

αἰτοῦσιν] ζητοῦσιν I

52. ὥσπερ + γὰρ Γ P
καὶ μελανῇ > P
πνέων P
καὶ^{2} > P

53. καὶ ἐρευνᾷ > P

54. νυκτὸς + καὶ P
τοῦ σκότους] καὶ τὸ σκότος Γ

55. κλονεῖται - ἀνέμῳ] ὁ δεινὸς P
τῷ δεινῷ ἀνέμῳ] ὁ ἄνεμος ὁ δεινὸς Γ
ἁμαρτίας + ἄνεμος P

56. πνέων Γ P
καὶ^{1} - ἐρευνᾶται] κινεῖ καὶ σείει καὶ κλονεῖ καὶ ἐρευνᾷ Γ, κλονεῖ καὶ σείει P
τὴν^{1} + ἀνθρωπείαν Γ, + ἀνθρωπίνην P Φ

57. αὐτοῦ] αὐτῆς Γ P
καὶ^{1} > Γ P
σείεται] σείει Γ, > P

58. οὐδὲν] οὐδὲ ἓν Γ P
ἐλεύθερον + μέλος Γ
μέρος οὐδὲ ἀπαθὲς P
μέλος > Γ
τῆς ψυχῆς P
τοῦ σώματος P

59. ἐν ἡμῖν οἰκούσης Γ P
ὁμοίως > Γ P
ἐστὶν + δὲ P

60. πνέων + ὁμοίως Γ P

61. ἡμέρᾳ + τοῦ I
φωτὸς + τοῦ I
διϊκνύων εἰς Γ, δεικνύων εἰς P
τὴν > Γ P

62. λογισμοὺς + ἀεὶ Γ P Φ
καὶ^{2} + πᾶσαν τὴν οὐσίαν καὶ I

63. τοῦτο + δὲ I
66. τέλειον + τὸν παλαιὸν Γ P
ἐνεδύσατο] ἐνδέδυται Γ P, ἀπεδύσατο I
ὁ παλαιὸς > Γ P
69. φορέματα] φορήματα Γ, ἐνδύματα P
71. ἂν > P
ὁ Ἰησοῦς P
72. οὐράνιον Γ
73. κεφαλήν^{2} + πόδας πρὸς πόδας, χεῖρας πρὸς
χεῖρας Γ P Φ
74. ᾖ] εἴῃ Γ
75. βασιλείας] βασιλικὰ Γ
76. ἀγάπης, χαρᾶς, ἐλπίδος Γ P Φ
78. ἵνα > Γ
ἵνα ὥσπερ] καθὼς P
79. οὕτω - 80. χάριν > Γ P Φ
81. ἁμαρτία + νῦν Γ P Φ
82. ἕως + τῆς Γ P
ὅτε] ὅταν I
83. καλυφθήσεται P
τῷ^{2} - ψυχὴν] ὅπερ ἀπεντεῦθεν ἐν τῇ ψυχῇ
κέκρυπται P Φ
84. εἴκων ἐπουράνιος Γ
Ἰησοῦς] ὁ P, > Γ
85. μυστικῶς > Γ P Φ
τὴν ψυχὴν] ἐνοικεῖ καὶ Γ P
βασιλεύει + μυστικῶς Γ P Φ
τὴν ψυχὴν^{2}] τὰς ψυχὰς Γ P
86. κεκρυμμένος δὲ] καὶ κέκρυπται Γ, κέκρυπται P
μόνοις + ἐν οἷς Γ P
ἐστὶ + ὁ P
87. ἐξ ἀληθείας Γ
89. ὄντι + ἐν τῇ ψυχῇ P
τοῦ > Γ

ἐν τῷ ἀνθρώπῳ] τοῦ ἀνθρώπου P
εἰς τὴν ψυχὴν > P
ἵνα + τότε Γ P
90. τοῦ > Γ
91. Χριστοῦ + καὶ ἀπὸ τοῦ νῦν μετὰ Χριστοῦ Γ P Φ
φωτὶ > Γ
92. δόξα - 95. ἀμήν > Γ P
93. αὐτοῦ] ἑαυτοῦ I
94. αὐτοῦ] ἑαυτοῦ I

H 3

2. ἀλλήλοις]ἀλλήλως Εφ
3. ἵνα ἔχωσι]ὀφείλουσι Εφ
4. ἀγάπης + ἔχειν Εφ
5. εὐδοκία + κυρίου Εφ, + θεοῦ Φ
εὐχόμενοι]ἐργαζόμενοι Εφ
6. ἀναγινώσκοντες]εὐχόμενοι Εφ
ἐργαζόμενοι]ἀναγινώσκοντες Εφ
ἁπλότητι καὶ ἀκεραιότητι ~Εφ
9. ἐν οὐρανοῖς Σ > Εφ
σύνεισιν ἀλλήλοις]συνόντες Εφ
εἰρήνῃ/ἀγάπῃ ~Ι
10. καὶ[1]]ἐν Εφ
διάγουσι Εφ
ἔπαρσις ἢ > Φ
φθόνος + ἡ ἔρις Εφ, + ἢ θλῖψις Φ
ἀλλ' ἐν]ἀλλὰ Εφ
ἀγάπη Εφ
εἰλικρίνεια Εφ
11. εἰσιν > Εφ
ὦσι]ἵνα εἰσὶ Εφ
13. συμβαίνει + γὰρ Εφ
14. μὲν > Εφ
15. ἓξ]ἑπτὰ Φ
δὲ]ἐξ αὐτῶν Εφ > Ι
ἄλλοι - διακονοῦσιν > Φ
16. ὀφείλουσιν οὖν]λοιπὸν ὀφείλουσιν Εφ
εἴ τι ποιοῦσιν οἱ ἀδελφοὶ ~Εφ
17. καὶ - ἀλλήλων > Σ

18. περὶ]ὑπὲρ Εφ
λεγέτω]εἴπῃ Εφ
ὃν ⟩ Εφ
19. κτᾶται + τὸν Εφ
κἀγὼ ἔχω]καὶ ἔχω κἀγώ Εφ
περὶ]ὑπὲρ Εφ
20. οὕτω λεγέτω]εἴπῃ Εφ
ὁ ⟩ Εφ
εἰς - ἀνάγνωσιν ⟩ Φ
21. προχωρεῖ κέρδος ~Ι
αὖθις]οὕτως Εφ
τοῦτο ⟩ Εφ
22. λεγέτω]εἴπῃ Εφ
23. ἐστι + τὸ Ι
βοηθοῦσιν]βοηθεῖ Εφ
24. ἀλλήλως Εφ, + εἰ Σ Φ Εφ
ἐκτελεῖ ἔργον ~Ι
26. περιπατεῖ ⟩ Φ
μέλη Εφ Σ Φ] μέρη Ι
ἐπιφερόμενος]περιφέρων Εφ
ἀλλὸ]ἀλλήλους Εφ
27. μετ']μέλη Εφ Σ Φ
ἤτωσαν]εἰσιν Εφ
κρινέτω]κρίνει Εφ
28. τί + ποιεῖ Φ
κρινέτω]κρίνει Εφ
29. κἀγὼ]καὶ ἐγὼ Εφ
30. κρινέτω ⟩ Εφ
ἕτερον + κρίνει Εφ
εἰς δόξαν θεοῦ ⟩ Εφ Σ Φ
θεοῦ + ποιεῖ Ι Φ
31. ἔχει]ἵνα ἔχῃ Εφ
32. ὅτι ⟩ Εφ
ἐμοῦ]αὐτοῦ Εφ

καὶ ὁ]ὃ δὲ Εφ
33. λογιζέσθω]εἴπῃ Εφ
οὕτω Φ]οὗτος Εφ
34. ὁμοφωνία πολλὴ]ὁμοφωνίᾳ πολλῇ Εφ
πολλὴ > Σ
καὶ^{1} - συμφωνία^{2}> Εφ
35. τῆς Σ + ἀγάπης καὶ τῆς Εφ
36. ἀφελότητι - καὶ^{2} Φ]οὕτω γίνεται Εφ
εὐδοκία Εφ
θεοῦ Φ]κυρίου Εφ
πάντων]ὅλων Εφ
37. ἡ προσκαρτέρησις Σ]αἱ προσκαρτερήσεις Εφ, ἡ πρὸς καιρὸν καρτέρησις Ι
ἐστι > Εφ
εὐχῆς + ἐστι Εφ
δὲ > Εφ
ζητείσθω Εφ
38. τὶς ἔχῃ ~Εφ
τις + τὸν Εφ
ἐν τῇ ψυχῇ]τῆς ψυχῆς Εφ Σ Φ, + αὐτοῦ Εφ
κύροις Φ]Χριστὸς Εφ
39. εὔχεται/ἀναγινώσκει/ἐργάζεται ~Σ Φ
κτῆμα + τοῦ πνεύματος Εφ Φ
40. ὃ - πνεῦμα > Εφ
41. λέγοντες τοῦτο ~Εφ
κύριος]θεὸς Γ Ρ Ι+ Εφ Φ
μόνους]μόνον Ρ Ι+ Εφ
καρποὺς φανεροὺς ~Γ Ρ Ι+ Εφ
42. τοῦ ἀνθρώπου Ρ Ι+ Εφ Φ, τὸν ἄνθρωπον Γ
θεὸς]κύριος Γ Ρ Ι+ Φ
κατορθοῖ]φανεροῖ Εφ
43. εἰσι]ἐστιν Γ Ρ Ι+ Εφ
ἄνθρωπόν + τις Γ Ρ Ι+
45. ἀσφαλίζεταί + τις Εφ
γάρ σε ~Εφ

κύριος Σ Φ]θεὸς Εφ
τοῦ ⟩ Εφ
46. σου + καὶ Γ Ρ Εφ
μήτε[1] [2]]μηδὲ Γ Ρ, καὶ μὴ Ι+
47. τὸ[2]]τῷ Γ
τοῦτο - 50. δὲ]καὶ τοῦτο ἀντιπαλαίοντι μάχεσθαι Εφ
τοῦτο + μόνον Γ Ρ Ι+
48. μόνον ⟩ Γ Ρ Ι+
οὔτε]οὐδὲ Γ Ρ Ι+
δυνατὸν + τῷ Γ Ρ Ι+
49. ἐξ]διὰ Γ Ρ Ι+
τὸ]τοῦ Γ Ρ Ι+
ἀντιπαλαῖσαι + δὴ Ι+
50. ἀντιμάχεσθαι Ρ Ι
σόν ἐστιν]δύναται Γ Ρ Ι+, ἡμέτερον δύναται Φ
51. χρεία + λοιπὸν Γ Ρ Ι+ Εφ, + ἦν Γ Ρ Ι+
ὡς γὰρ]ὥσπερ Γ Ρ Ι+, + γὰρ Ρ
52. οὐκ - τὸν]τοίνυν Ι+
ὀφθαλμὸν + ἰδεῖν Γ Ρ Εφ, + οὐκ ἔστιν ἰδεῖν Ι+
βλέπειν ⟩ Γ Ρ Ι+ Εφ
λαλεῖν + τινα Γ Ρ Ι+
53. ὠτὸς Γ Ρ Ι+ Εφ Φ
ποδὸς Γ Ρ Ι+ Εφ Φ
ἢ[3] - χειρῶν Φ ⟩ Γ Ρ Ι+
54. δύναταί τις]δυνάσαι Ι
τοῦ]κυρίου Εφ Σ
'Ιησοῦ]θεοῦ Γ Ρ Ι+, ⟩ Φ
εἰς + τὴν Εφ
55. τῶν οὐρανῶν Εφ
56. ὅτι ⟩ Γ Ρ Εφ
οὐ μοιχεύω Σ]οὐ κλέπτω, οὐ φονεύω Γ Ρ Ι+ Φ
57. τὸ λοιπὸν Εφ
εἰμι δικαιὸς ~Ρ
ἐν]ἐπὶ Εφ

νομίζων Ρ
58. οὐκ]οὐ γὰρ Ι+
εἰσι + οὖν Εφ, + γὰρ Ρ
μέρη]μέλη Γ Ρ Ι+ Εφ Φ, πάθη Σ
ὀφείλει τις Εφ]ὀφείλεις Ι
59. ἀσφαλίσασθαι]ἀσφαλίζεται Εφ
μύρια + εἰπὲ γάρ μοι Εφ, + πάθη Σ
ἢ[1] + γοῦν Ρ
τύφωσις Φ]τύφλωσις Εφ Σ
τύφωσις/ἀφοβία ~Ι
ἀπιστία]ἁμαρτία Φ
τὸ μῖσος > Σ
60. φθόνος + καὶ ὁ φόνος Φ
πόθεν - ὀφείλεις Φ > Ι
πόθεν ἐστίν]ὁποῖον τοίνυν Ι+
ἐστίν]εἰσίν Ρ Εφ
61. ταῦτα + ὀφείλεις Ι
τὸν ἀγῶνα καὶ τὴν πάλην ~Ι
καὶ τὸν ἀγῶνα > Εφ
ἐνλελήθοσιν + καὶ Εφ, > Σ
καὶ - τοῖς[2] > Ρ Ι
62. λογισμοῖς + καὶ ἐν φανεροῖς Ι
ὥσπερ + γὰρ Εφ
ἐὰν ᾖ]ἵνα Γ Ρ Ι+
ἐν + τῇ Ι
οἰκίᾳ Σ Φ] σκήνῃ Εφ
τὸ > Γ Ρ Ι+ Εφ
63. ἐᾷ]ἀφίῃ Γ Ρ Ι+ Εφ
ἀρχῇ]ἄρχειν Εφ
δὲ > Γ Ι+
σὺ]σοὶ Γ Ρ Ι+ Εφ
ἀντιτυπτειν αὐτὸν Φ]ἀντιπίπτων αὐτῷ Εφ, + λοι-
πὸν Εφ
δέρεις + καὶ Ι

δέρῃ Φ]δέρειν καὶ αὐτὸς ἐπιχειρεῖ Εφ
64. καὶ ἡ ψυχὴ ὀφείλει ~Εφ
ἀντιπίπτειν]ἀντιτύπτειν Γ Ρ Ι+ Σ Φ, + καὶ δέρειν Γ Ρ Ι+ Εφ Σ Φ
ἀντιμάχεσθαι + λαμβάνει πληγὰς καὶ δίδωσι κρούεται Γ Ρ Ι+ Εφ Σ Φ
καὶ ἀντικρούειν]λαμβάνει πληγὰς καὶ δίδωσι κρούεται ἀντικρούει Ρ
ἀντικρούει Γ Ι+ Εφ Σ Φ
65. προαίρεσις + καὶ Εφ, + ἡ Γ Ρ Ι+
66. θλῖψιν + μετὰ πολλοῦ καμάτου Ρ
ἄρχεται + προκόπτειν (περικόπτειν Εφ) καὶ μετὰ πολλοῦ καμάτου ἄρχεται ἡ ψυχὴ Γ Ι+ Εφ Σ Φ, + προκόπτειν καὶ Ρ
ἀνωτέρα + τῶν παθῶν Ρ
ἐγείρεται + οἰκοδομεῖ σατανᾶς κατὰ τῆς ψυχῆς καταστρέφει καὶ ἡ χυχὴ Εφ
ῥίπτει]συμβαίνει Εφ
67. ἁμαρτία + πάλιν νικᾶται. οἰκοδομεῖ ὁ σατανᾶς κατὰ τῆς ψυχῆς καταστρέφει ἡ ψυχή. πάλιν συμβαίνει ὅτι ἡ ἁμαρτία Γ Ρ Ι+ Σ Φ
ἢ εἰς]καὶ Εφ
ἀγῶνας]ἀγωγὰς Γ Ρ Σ Φ
ῥίπτει Φ + ὁμοίως Εφ
68. χρόνον Εφ
διαγωγὴν Εφ
69. ὑπομείνῃ - ψυχὴ]ἡ ψυχὴ ὑπομείνῃ ~Ι
70. διακρίνειν]αὐξάνειν Γ Ρ Ι+ Φ, αὐξάνεσθαι Εφ
ἀλλ'Φ, + ὅμως Γ Ρ Ι+ Εφ
71. ἁμαρτία Φ + ἀλλ' οὖν οὐ Εφ
72. οὗ ἔλθῃ]ἂν φθάσῃ Εφ
καὶ τελείως]τοῦ πληρώματος τοῦ Χριστοῦ καὶ Εφ

74. καὶ οὕτως Σ Εφ]οὗτοι οὖν Γ Ρ, οὗτοι δὲ Ι+
ἀνώτερος γίγνεται Εφ
γίνονται Γ Ρ Ι+
νικητὴς Εφ
διαβόλου Σ]θανάτου Εφ
75. προείπαμεν Γ Εφ
μοιχεύω]φονεύω Ι+
76. οὗτος εἰς Σ]οὕτως Εφ Φ
εἰς[1] 〉 Ρ
μέρη]πάθη Σ
εἰς ἄλλα 〉 Εφ
ἅπερ ἔχει]ἀπέχεται Εφ
77. κατὰ + πάσης Εφ
ἀλλ᾽]ἀλλὰ Εφ
ἡττήθη Φ + πολλάκις Εφ
78. ἀγωνίσασθαι Γ Ι+
εἴπαμεν Γ Εφ
79. ἰσόρροπον Φ]ἔσωθεν Εφ
τοῦ 〉 Εφ
80. ἐναντιωθῆναι Γ Ρ Ι+ Εφ
τοῖς λογισμοῖς]διαλογισμοῖς Γ Ρ Ι+, + σατανᾶ Φ
81. βασιλεύει Εφ
82. τὴν κακίαν 〉 Εφ
κατακρίνοντα - ἀνθρωπότητα Σ Φ]λέγοντα Ρ, 〉 Γ Ι+
83. διότι]διὰ τί Γ Ρ Ι+ Εφ
ὑπήκουσε - σατανᾷ 〉 Ι+
ὑπήκουσε]ὑπηκούσας Ρ Εφ, ὑπήκουσαν Γ
ἰσχυρότερος]ἰσχυρός Ι
84. ἐστι + ὁ σατανᾶς Ι+
ἀναγκαστική τις δυναμις Εφ
ὑποτάσσει]ἐπιτάσσει Ρ, ὑπόστασιν Εφ
μειζονότερον Εφ, μείζονα Ρ, μείζω Ι, + αὐτὸν Γ
Ρ Ι+
85. ἰσχυροτέραν Εφ

αὐτὸν ⟩ Γ Ρ Ι+
ἐποίησας τῆς ψυχῆς Ι+]τῆς ψυχῆς ἐποίησας Γ Ρ Εφ
μοὶ ⟩ Ρ, + τοῦτον Εφ
μῆ ⟩ Ι
ὑπακούειν Εφ

86. ὥσπερ + γὰρ Ι+
ἐὰν ᾗ^{1} ^{2}]ἵνα Γ Ρ Ι+
ἐὰν ᾗ^{1}]ἦν Εφ
πάλην]μάχην Εφ
παιδίον Εφ Σ Φ, + ὥς τινες λέγουσι Γ Ρ Ι+

87. παιδίον + ὑπὸ τοῦ νεανίσκου Ι+
ἡττήθῃς Εφ

88. λέγωμεν Γ
τοιαύτη ⟩ Εφ

89. ἐπιζητοῦσα + τὸν Θεὸν Εφ

90. τῆς λυτρώσεως]ἀπολυτρώσεως Εφ
κεῖται Εφ]λέγεται Γ Ρ Ι+ Φ

91. δοξάζομεν - ἀμήν ⟩ Γ Ρ Ι+
δοξάζομεν - πνεῦμα]αὐτῷ ἡ δόξα καὶ τὸ κράτος Εφ
τοὺς]ἀπεράντους Εφ

H 6

9. ὁ 〉 I
10. οὕτως 〉 I Σ
11. τινες + οὕτως I Σ
22. γενομένης] γίγνομένης I
25. φωνῆς I
40. κελευσταῖς] κλέπταις Φ Σ
44. ἀνθρώπου ἐκτελεῖν ~I
67. μείζων 〉 I
68. ὁ δὲ ~I
    προφητεύων + μείζων I

70 - 108 = B 4, I, 58, 14 - 59, 23

H 12

2. 'Αδὰμ + εἰς δύο πρόσωπα Γ
παραβὰς τὴν ἐντολὴν ~Γ
κατὰ - τρόπους > Γ
3. μὲν > Γ
κτῆμα] κτίσμα Γ I+
4. τοῦ > Γ I I+
θεοῦ] καὶ Γ
δὲ > Γ
αὐτὴν > Γ I+
5. πᾶσα ἡ ἐπουράνιος ~Γ I+
6. ἐὰν] ἵνα Γ I+
νόμισμα ἔχον (ἔχων Γ) Γ I+
7. τε > Γ
9. ἐὰν] ἵνα Γ I+
10. εὐθηνοῦσα] εὐθυμοῦσα Γ
εὐφοροῦσαι] εὐποροῦσαι Γ I+
11. καὶ] ἐκεῖ Γ I+
14. ἀπὸ - ἀπέθανε > Γ
ἀπέθανε^2 + ὁ 'Αδὰμ I+
τῇ δὲ] ἐν δὲ τῇ Γ I+
16. ἀλλ'] καὶ I
17. ὡσπερεὶ] ὥσπερ Γ I+, > I
βλέπει] βλέπων I, παραβλέπει I+, + αὐτοὺς Γ I I+
καὶ^2 - κοινωνίαν > I
παραβλέπει + αὐτοὺς Γ
καὶ^3 - κοινωνίαν > Γ
18. ἐπειδὴ] ἤτε I

εὐάρεστον αὐτῷ Ι
θεῷ] κυρίῳ Γ
οὐδὲν λογίζονται Γ Ι+, + παραβλέπει αὐτοὶ καὶ οὐ ποιῇ ἐν αὐτοῖς κοινωνίαν Ι
ἐὰν] ἵνα Γ Ι Ι+
19. ἀταξίαι - ἀσωτίαι] ἀταξία γίνεται καὶ ἀσωτία Ι+
20. παρερχόμενοι βδελύσσονται] συνχαίνουσι Γ, συγχαίνονται Ι+
21. ἐστιν] εἰσιν Ι+
22. ἐπιβλέπει μὲν] τὸ μὲν ἰδεῖν βλέπει Γ Ι Ι+

25 - 69 = B 7, I, 111, 22 - 113, 15

70. ἐρώτησις 〉 P
73. ἀπόκρισις 〉 P
ὅτε 〉 P
ἐντολὴ συνῆν αὐτῷ P
74. λόγος + τοῦ θεοῦ P
αὐτῷ ἦν ~P
αὐτὸς^{2} 〉 P, αὐτῷ Γ
καὶ 〉 P
75. σκεπάζουσα Γ P
αὐτοὺς] αὐτὸν Γ Ι
αὐτὸς 〉 P
77. δένδρον τοῦτο πτηνὸν καὶ Γ P
79. ἐρώτησις] καὶ P
εἶχε + τοῦ πνεύματος κοινωνίαν Γ P
80. ἀπόκρισις - αὐτῷ 〉 P
αὐτὸς - αὐτῷ 〉 Γ
81. κληρονομία] κοινωνία Ι
διδασκαλία + ὁ λόγος ἦν αὐτῷ P
καὶ + γὰρ P
82. τοῦ λόγου] αὐτοῦ P

λόγος[1] + καὶ ὁ λόγος ἦν πρὸς τὸν θεόν. καὶ θεὸς ἦν ὁ λόγος Γ Ρ

83. σκανδαλιζόμεθα Γ Ρ

84. γὰρ + τί Γ Ρ

ἔβλεπαν Γ

85. εἶδον] οἴδαν Γ

καὶ + οὐκ Ρ

86. ἐρώτησις > Ρ

88. ἀπόκρισις > Ρ

ὥσπερ] ὡς Ι

ἐπὶ] ἀπὸ Ι

ἐνήργει + εἰς Γ

τὸ πνεῦμα] αὐτοὺς Γ Ρ

89. αὐτοὺς] τὸ πνεῦμα Γ Ρ

αὐτῶν] αὐτὸ Ρ, αὐτῷ Γ

αὐτοῖς > Γ

90. σὺν αὐτῷ ἦν] συνῆν αὐτῷ Γ Ρ

ὑπετίθετο καὶ ἐδίδασκε ~Ρ

91. λόγος ἦν ~Γ Ρ

92. ἐνέμενε + ἐν Γ Ρ

94. καὶ] οὐκ Γ

θέλημα > Γ

συμφωνῆσαι + ἢ μὴ συμφωνῆσαι Γ Ρ Ι

95. ἐν + τῷ Γ Ρ

98. ἐρώτησις > Ρ

ὁποίαν + ἔσχε γνῶσιν μετὰ τὴν παράβασιν ὁ 'Αδάμ Γ Ρ Ι

99. ἀπόκρισις > Ρ

ὅταν] ἐὰν Ρ, γὰρ ἵνα Γ

καὶ > Γ

100. ἄρχεται Γ Ρ

κακὰ ἐποίεις ~Γ Ρ

101. ἔχεις συλληφθῆναι ~Γ

102. γὰρ > Γ

πάντα] ἅπαντα P
μνημονεύων] μνημονεύει καὶ Γ P
103. οὐκ > P
κακῶς - 104. ὅτι > Γ P
105. οὐκ > P
θεός ἐστιν] εἰσίν. ἢ ἐν τίσιν εἰσί Γ P,
+ καὶ P
ἐν - ἐκείνῃ > I
106. δύνανται + ἐν τῇ ἡμέρᾳ ἐκείνῃ I
εἰπεῖν + ὅτι Γ P
ᾔδειμεν] οἴδαμεν Γ P
διὰ] ἐκ P, διὰ > Γ I
τὰς] τῶν P
107. γιγνομένας] γινομένων φωνῶν P, + φωνὰς Γ
οὐρανοῦ + καὶ Γ, + φωνὰς καὶ I
βροντὰς] βροντῶν P
ἀστραπὰς] ἀστραπῶν P
ᾔδειτε] οἴδατε I, + καὶ Γ
108. τί - δαίμονες] τὸ κράζειν τοὺς δαιμόνας Γ,
καὶ ἐκ τοῦ κράζειν τοὺς δαιμόνας P, + ὅτι Γ P
109. ἔτι] ὅτι Γ P
110. οὐκ > P
οὖν + κἀκεῖνοι P
111. καὶ + τοῦ Γ
κακοῦ + ἀλλ' P
ἡ] ἣν Γ
τοῦ[2]] τε Γ
τὴν - ἔδωκεν] ἐγένετο ἑκάστῳ Γ, γίνεται ἐν
ἑκάστῳ ἡμῶν P
ἕκαστος γὰρ] εἶτα Γ P
112. ὡς] ὁ θεὸς Γ P
ἐν - ὁ] ποῦ εἶ P, ποῦ ἦν Γ
ὁ > Γ P
καὶ + διὰ P

ἔπραξεν] παρέβης P, ἐπαρέβης Γ
113. γὰρ + ἐστιν Γ, + ἐστὶν ἕκαστος ἡμῶν P
τὴν - ἐδέξατο] ξύλου δὲ βρῶσις P, ξύλου βρώσεως Γ
τε 〉 Γ P
λοιπὸν] ἀφ' ὧν νῦν Γ P
114. ἐκ τῶν 〉 P
ἐκ] ἀεὶ Γ
ὅτι] ἀεὶ γνωρίζεται καὶ ὥσπερ ἐκεῖνος P
καὶ[1]] ὢν P
καὶ[2]] τὸ πρῶτον P
115. καὶ ὠργίσθη] ὀργισθέντος P
ὁ θεὸς] τοῦ θεοῦ P
λοιπὸν] οὕτω καὶ ἡμῶν ἕκαστος P
116. κακὰ + καὶ I
μαθὼν] αὐτοῦ γνωρίζων Γ P
117. μηκέτι] μὴ Γ P
118. γινώσκομεν δὲ] καὶ γινώσκομεν Γ P
τοῦ - αὐτοῦ] διὰ τοῦ κυρίου Γ P
οἰκονομεῖται] ὠκονόμηται P
119. ἃ] καὶ τῷ μὲν βλέπειν P, τὸ βλέπειν Γ
120. τὸν - ἀγνοοῦμεν 〉 Γ P
γὰρ] δὲ Γ
οἶδεν + τὸν ἀριθμὸν τῶν ὀρνέων ἢ τὰ γένη τῶν ἀνθρώπων (+ τῶν P) φυομένων ἐν τῇ γῇ Γ P
μόνος] μόνων Γ
121. ζῴων + καὶ πάντων Γ P
ἐπίσταται + πάντα Γ P
123. μᾶλλον 〉 P
125. κτήματα] κτῆμα Γ P
ἅπερ] ὅπερ Γ P
ἄνθρωπος ὢν] ἄνθρωπε P
126. εὗρον] εὗρα Γ
καὶ[2]] ἢ Γ P

κατέλαβον] κατέλαβα Γ

127. εὑρεθήσεται] εὑρέθη Γ

νοῦς] λογισμὸς Ρ

128. ἐν - δὲ] καὶ ὧδε Γ, ἀλλ' ὧδε Ρ

πλανᾷ καὶ] πλανᾶσαι Γ Ρ Ι

ὅσῳ] ὅσον Ι, + γὰρ Ρ

καὶ εἰσελθεῖν ⟩ Ρ

130. σοι[1] + ἡ (καὶ τὰς Ρ) βοηθεία (βοηθείας Ρ) τοῦ θεοῦ, εἰπεῖν δύνασαι Γ Ρ, + εἰπεῖν δύνασαι Ι

ἐργάζεται] ἐργάζονται Ρ

σοι[2] + ἡ βοηθεία τοῦ θεοῦ Ι

καὶ πῶς ⟩ Ι

καὶ] ἢ Ρ

πῶς + ἐστιν; Γ, + εἰσι; Ρ

131. ἀρρητά] ἄρρητοι Ρ, + γὰρ Ι

ἐστι] εἰσι Ρ

ἀκατάληπτα] ἀκατάληπτοι Ρ

μόνον + χρὴ Ρ

δέξασθαι] δέχεσθαι Ι

132. σὴν] ἰδίαν σου Γ Ρ

ἠδυνήθης] ἐδυνήθης Γ

133. καὶ ⟩ Ρ

134. ἀλλ'] καὶ Γ

135. οὐκ ἠδυνήθῃς]οὐ δύνασαι Γ Ρ

136. εὑρεῖν]ἐρευνᾷν Γ

139. ῥέει]ῥεῖ Ρ

141. ἔχει + τὸ Γ Ρ

πόσον[2]]πόθεν Γ Ρ Ι

προχωρεῖ]προσχωρεῖ Ι

143. μαζῷ]μασθῷ, μαστῷ Ρ

144. λαμβάνει]λαβεῖν Γ Ρ

καὶ τρέφεται ⟩ Γ Ρ

δὲ ⟩ Ρ

145. ἐπιρρέει]ἐπιρρεῖ Ρ, ἐπιρέῃ Γ

146. τὸν ὀρρὸν]τὴν ὥραν Γ P
ἄλλῃ ὥρᾳ]ἄλλην ὥραν I
μαζός]μαστός Γ P
τοῦτο]καὶ τοῦτο P
149. εἰ - αὐτὸν 〉 I
ζητεῖς + αὐτὸν Γ P
150. ἐν λάκκῳ]εἰς λάκκον Γ P
εὑρίσκεις]εὑρίσκει P
ἐν μέσῳ]μέσον. Γ
152. ἐν ὄρει]εἰς ὄρος Γ P
153. τοῦ 〉 P
Μωσέως καὶ 'Ηλία ~P
Μωυσῆ Γ
157. τοὺς 〉 P
159. οὖν + πρῶτον Γ P
160. ὅτι]ἥτις δέδοται ἵνα P, ἵνα Γ I
γινομένης]γενομένης Γ P
161. καὶ 〉 Γ P
163. ἐπιγινώσκουσι]ἐπιγινώσκωσι P
164. ἰδίαν]αὐτοῦ Γ P
γνωρίζει]γνωρίσῃ P
ἐπισυνάγει] ἐπισυνάξῃ P
166. ἵσταται]συνίσταται Γ P
167. ἡ[1] 〉 Γ P
πῦρ]ζωὴν P
καὶ - 168. ἀναγομένη 〉 P
μία - 168. ἀναγομένη]ἄλλη ποίμνη φωτείνη. χωροῦσα εἰς ζωὴν αἰώνιον Γ
168. κτώμεθα]κτησώμεθα P
ψυχαῖς + ἡμῶν Γ P
169. δόξαν + καὶ P
170. Ξανθικοῦ]Μαρτίου I
ῥίζαι + αἱ Γ P I
κεχωσμέναι]κακομέναι Γ

171. κάλλη + τῶν δένδρων καὶ χόρτων I
172. αἱ ῥίζαι αἱ καλαὶ ~Γ P
αἱ ἔχουσαι τὰς ~Γ P
173. οὕτως + καὶ Γ P
174. ἐμφανίζει καὶ 〉 Γ P
φανεροῦται]φανεροῦνται καὶ Γ P
τε 〉 Γ P
175. ἐκεῖ]ἴση Γ P
176. καὶ - 177. φαινομένην 〉 Γ P I
178. ἄνθρωπος + καὶ Γ P I
κατῆλθε]κατέβη P
179. ὑποστηριχθῇ]στηριχθῇ P
181. πλεῖον ὅλων]πλέω πάντων Γ P
ὑπὸ + τοῦ I
182. ἐπουρανίῳ]ἐπουράνιος Γ
183. αὐτῷ]αὐτοῦ Γ P
185. Χριστιανῶν]ἀνθρώπων Γ
λάμπει]ἐνλάμπει Γ
186. σκεπάζεται]σκεπάζονται I
βρώσει + ἄλλῃ I
τρέφεται]τρέφονται I
187. γυνὴ + δὲ Γ
ἀκαταλύπτῳ + τῇ Γ
προσευχομένη] καταισχύνει τὴν κεφαλὴν αὐτῆς.
ἓν γάρ ἐστι καὶ αὐτῃ τῇ ἐξυρημένῃ Γ
188. καιρῷ + ἐκείνῳ Γ
ἀφιεμένας] ἠφημένας Γ
εἶχον] εἶχαν Γ
189. ἦλθον] ἦλθαν Γ
190. αὐτὴν] αὐτοὺς Γ
πλὴν + δὲ Γ
191. ἐκεῖναι] ἐκείνας Γ
192. εἶχον] εἶχαν Γ
194. ἡ συναγωγὴ 〉 Γ

198. τῷ θεῷ] τοῦ θεοῦ Γ
199. τῷ ἐπουρανίῳ[2]] μετὰ τοῦ ἐπουρανίου ἀνθρώπου Γ
τοῦτο δὲ 〉 Γ
200. πολλῶν + οὖν Γ
προφήτης + τί Γ
203. ὃ ἡ] ὅτι Γ
204. σοὶ + εἰς μηδὲν βοηθοῦσα, καὶ ὁ κύριος λέγει· σὺ εἰς πόλλα περισκευάσαι. Μαρία δὲ τὴν ἀγάθην μερίδα ἐξελέξατο. ει τις οὐκ ἀφαιρεθήσεται ἀπ' αὐτῆς Γ
205. εἰπεῖν - Μαρία] Μαρία εἰπεῖν ~Γ
206. αὐτῇ + τὴν καλὴν μερίδα ἐξελέξατο. τί γὰρ τούτου μειζότερον Γ
παρὰ] πρὸς Γ
τοὺς πόδας] τοῖς ποσὶ Γ
καὶ ἐκάθητο Γ
207. κυρίου] θεοῦ Γ
προσεδρείαν 〉 Γ
208. ἄκουσον 〉 Γ
209. τὸν Ἰησοῦν] θεὸν Γ
προσέχει] ἔχει Γ
210. ἀλλὰ ἤδη καὶ παραμένει Γ
καὶ[1] 〉 Γ
211. τι 〉 Γ
212. διδόναι ὁ θεὸς ~Γ Ρ
καὶ τῇ] λοιπὸν αὐτῇ ἡ Γ Ρ
213. γὰρ - αὐτὸν] ὅτε ἠγάπᾳ τὸν θεὸν Γ Ρ
παρακαθεζομένῃ] παρακαθέζετο Γ Ρ
παρὰ] ὑπὸ Γ Ρ
214. οὐχ] οὐκ ἦν Γ Ρ
προσετέθη 〉 Γ Ρ
κρυφιμαίαν] κρυφίαν Γ Ρ
215. αὐτοῦ] ἑαυτοῦ Γ Ρ
216. μετὰ + τῆς Γ Ρ

πνεῦμα] πνεύματα Γ Ρ
οὗτοι] αὐτοὶ Γ Ρ
217. ἐγίγνοντο] ἐγένοντο Γ Ρ
εἰς^{2} + τὴν Γ Ρ
εἰς^{3} + τὸ Ρ
218. αὐτῆς + καὶ διὰ τοῦτο αὐτῇ (αὐτῇ 〉 Γ) εἶπε ὁ κύριος. μερίδα ἐξελέξατο, ἥν (ἥν 〉 Ρ) τις οὐκ ἀφαιρεθήσεται ἀπ᾽αὐτῆς Γ Ρ
ἐξ ἀνάγκης] ἀνάγκῃ Γ Ρ
219. παραμόνως] παράμονος Γ Ρ
κτῆμα + τι Γ Ρ
220. ἀναφαίρετον] ἀναφαίρεται Ρ
Μαρία + γὰρ Ρ
222. περὶ 〉 Γ
τὴν 〉 Ρ
226. πιστεύοντας] ἀκούοντας Γ Ρ
ἅγιον; + εἰ Ρ
227. ὅτε] ὅτι Γ
228. λόγον + ἢ Γ Ρ
230. ἐγίγνετο] ἐγένετο Γ Ρ
συνεκεράσθη] συνεκράθη ἐν Γ Ρ
232. καὶ + παραμένοντες Γ Ρ
εὐχῇ + καὶ Γ Ρ
προσκαρτεροῦντες + τῷ λόγῳ τοῦ θεοῦ Γ Ρ
ἃ] ὃ Γ Ρ
οἴδασιν] εἴδησαν Γ, ἤδεισαν Ρ
234. αὐτοὺς 〉 Γ Ρ
236. ἔβλεπον] ἔβλεπαν Γ
ὅπως] πῶς Γ
τε 〉 Γ Ρ
238. ἔμελλον] ἔμελλαν Γ
καὶ συγκιρνᾶσθαι 〉 Γ Ρ
243. ὅτου] ὅτε Γ Ρ
ἐκ + τῶν Γ Ρ

ὑπὲρ ἡμῶν 〉 Γ P
244. ἐν - ψυχαῖς] εἰς τὰς ψυχὰς Γ P
245. καὶ + νῦν Γ P
247. γίγνεται] γίνονται Γ P
εἰς^{2} + τὴν Γ P
249. φέρει - 252. ἀμήν 〉 Γ
250. φανεροῦται + ἐν P
251. πνεύματος + αὐτῷ ἡ P
καὶ^{1} - 252. πνεύματι 〉 P

H 16

2 - 116 = B 46, II, 84, 2 - 87, 25

115 - 182 = B 4, I, 62, 19 - 64, 23

187. κἂν] καὶ ἐν I
189. θησαυρῶν βασιλικῶν] θησαυρὸν βασιλικὸν I
190. μήπω] μή τι I
196. δεσμεῖ] δεσμοῖ I
197. εἰς 〉 I
199. ἐκεῖ λοιπὸν] λοιπὸν ἐκεῖ I
     εἰρήνη + ἡ I
212. ἐν τοῖς φαινομένοις γὰρ I
215. οὐ] οὐδὲν I
     δικαίως + οὖν I

H 22

2. ὅταν Φ] ἀγωνισώμεθα οὖν ὅτι οὕτω Ρ
ἐξέλθῃ] ἐξέρχεται Γ Ρ
τι 〉 Γ Ρ Ι Φ
3. ἐπιτελεῖται] ἀποτελεῖται Γ
γὰρ 〉 Γ Ρ
4. σκότους + καὶ Γ Ρ Ι Σ
6. γάρ + τις Γ Ρ
7. δοῦλος + αὐτῶν Ρ
αὐτοῖς 〉 Γ Ρ
ὅταν] ὅτε Γ Ρ
8. ἐξέρχεται Γ Ρ Ι
καὶ κρατεῖται 〉 Ρ Σ Φ
9. δὲ 〉 Ι
10. τοῦ[2] 〉 Γ
εἴσιν] σύνεισιν Γ Ρ
11. αὐτοὺς 〉 Γ Ρ
12. ἀπὸ] ἐκ Γ Ρ
13. ἴδιον + τὸ Ι
14. αὐτοὺς 〉 Γ Ρ Σ
κυρίῳ + ᾧ ἡ δόξα εἰς τοὺς αἰῶνας τῶν αἰώνων
ἀμήν. Γ

Η 24

3. οὕτως + καὶ Ρ Φ
4. τῆς] τὴν Γ Ρ
καρδίας - λογισμοὺς] καρδίαν ἐσκορπισμένην τοῖς λογισμοῖς Γ Ρ Φ
5. διὰ[2] 〉 Ρ
7. τῷ[1.3] 〉 Γ Ρ
8. ἄνω 〉 Γ Ρ Φ
αἰῶνι + τοῦ αἰωνίου Γ, + τῷ αἰωνίῳ Ρ Φ
9. κόσμον + τοῦτον Γ Ρ Φ
11. εἰς[1] - ἕτερον] ἐν αἰῶνι ἑτέρῳ Γ Ρ
τῷ 〉 Γ Ρ
εἶναι] ἵνα Γ, 〉 Ρ
14. δυνήσεται Γ Ρ
15. τοῦτον + καὶ δεομένη αὐτοῦ νυκτὸς καὶ ἡμέρας (ἡμέρας καὶ νυκτὸς Φ) τῆς χάριτος ταύτης καταξιωθῆναι Γ Ρ Φ
καὶ] μόνη γὰρ Ρ
16. θεικοῦ] θείου Γ Ρ
18. μετατεθῆναι Γ Ι
20. λογισμοῖς + καὶ πάθεσι κακίας συμπλακέντες Γ Ρ Φ
21. ὁ] τοῦ Γ
παραβὰς] παραβάντος Γ, διὰ τὴν παράβασιν Ρ
κακίας + τῶν Γ Ρ
ὑπεδέξατο εἰς ἑαυτὸν ~Ι
22. καὶ[2] - 'Αδὰμ 〉 Ρ
τὸ 〉 Γ

23. ἐκείνης + κακίστης Ρ
τῆς + κακίστης Γ
μετέσχον Ρ
καὶ αὔξησιν > Ρ
24. τοῖς > Γ
ὥστε] ὡς καὶ Γ Ρ
25. φόνων καὶ εἰδωλολατριῶν ~Γ Ρ
26. κακίᾳ + τελείως Γ Ρ
27. νομίσαι Γ Ρ
30. εὐδόκησεν - 31. αὐτοῦ] πάλιν ἀπὸ τῆς ἐπιδημίας
τοῦ σωτῆρος ηὐδόκησεν (εὐδοκήσαντος Ρ) Γ Ρ,
+ ὁ κύριος Γ
32. ἀγαθότητος ἐπουράνιον ~Ρ
33. πισταῖς > Ρ
καὶ οὕτω > Ρ
35. ἐν αὐτοῖς > Γ Ρ Φ
ἐπιτελοῦσιν Γ Ρ
ἓν - ἀγαθῷ] τὸ ἀγαθὸν τελείως Γ Ρ
37. κακίαν Γ
πονηρίαν Γ
μηδὲ μέχρις] μήτε ἕως Γ Ρ
ἐλθεῖν] ἀνελθεῖν Γ Ρ
δυναμένην Γ
ζεζυμωμένῃ Γ
39. δὲ] γὰρ Ι
τοῦ[1] - 40. ἐπουρανίου] τῆς ἐπουρανίου ζύμης Ρ
40. ὅπερ] ἥτις Ρ
41. ζωὴν τὴν ψυχὴν Γ Ρ
ἀδύνατον Ρωμ 8, 9 Φ
42. οὐδὲ] οὔτε Γ Ρ
τοῦ > Γ
43. κακίας + τῶν παθῶν Γ Ρ Φ
44. ὑπεισῆλθεν] ἐπεισῆλθεν Γ Ρ
λογική - σατᾶν > Γ Ρ Φ

45. φυράσῃ] φυράσει Γ
ἂν] ἐὰν Γ Ρ
47. ἡ 〉 Γ Ρ
πρὸς] εἰς Γ Ρ
48. ἑαυτὴν] ἑαυτὸν Γ, αὐτὴν Ι
49. καὶ 〉 Ρ
κύριος τὴν βασιλείαν (τῇ βασιλείᾳ Γ) παρείκασε Γ Ρ
50. τοῦ οὐρανοῦ Ι
ἐνέκρυφεν] ἔκρυφεν Γ Ρ Ι
51. καὶ 〉 Γ
52. μὲν] δὲ Γ, 〉 Ρ
αὐτῶν 〉 Γ
ἐπιμέλειαν + ἐὰν Ρ
ποιήσηται] ποιῇ Γ Ρ
ἅλας τὸ] ἅλατι τῷ Γ Ρ Ι Φ
53. ἀναιρετικὸν] ἀναιρετικῷ Γ Ρ Ι
ἀφανιστικὸν] ἀφανιστικῷ Γ Ρ Ι
σέσηπται] σήπεται Γ Ρ
54. ἀχρήσιμα] ἀχρησίμευτα Γ Ρ
γεγένηται] γίνεται Γ Ρ Ι
55. κρέας] κρέα τι Γ
57. μὴ 〉 Γ Ρ
βλήθῃ καὶ μιγῇ ~Γ Ρ
59. ἅγιον τῆς θεότητος ἀγαθὸν ~Γ Ρ
οὐ μὴ] ἵνα Γ, 〉 Ρ
μεταλλαγῇ] ἁλισθῇ ὡς δεῖ Γ, ἁλίζεται Ρ
60. ἡ + ταπεινὴ Γ Ρ
οὐδ'- μὴ] καὶ Γ Ρ Φ
ζυμωθῇ] ζυμοῦται Ρ
61. καὶ] τῆς Γ Ρ Φ
62. γὰρ] ἂν Γ, δὲ ἐὰν Ρ
δοκεῖ ἀφ'ἑαυτῆς ~Ρ
ποιεῖν ἡ ψυχὴ ~Γ Ρ

δοκεῖ] δοκῇ Γ Ρ
ποιεῖν Φ + ἀπίστως Γ Ρ
63. ἰδίᾳ μόνῃ δυνάμει Γ Ρ Φ
64. κατόρθωσιν + ἔχειν Ρ
65. κατεργάζεσθαι Γ
κατεργάσασθαι 〉 Ρ
ἐπουρανίους Γ Ρ
67. κατορθῶσαι + ψυχῇ. οὐκ ἐπὶ τῷ τόξῳ μοί (γάρ μού Γ) φησιν ἐλπιῶ. καὶ ἡ ῥομφαία μου οὐ σώσει με (Ψ 43, 7), καίπερ ἔχων καὶ (καὶ 〉 Ρ) τόξον καὶ ῥομφαίαν Γ Ρ Φ
68. ἐὰν μὴ Γ
70. ἡ 〉 Γ Ρ
71. ἐνστάξῃ] ἐνστάξει ἐν Γ
κύριος ἄνωθεν ~Γ Ρ
οὐ μὴ] ἵνα Γ, 〉 Ρ
72. αἴσθηται Φ] αἰσθήσει Ρ
ἀληθινῆς αἴσθηται ~Γ
ζωῆς 〉 Ρ
ἀληθινῇ Ρ
ὁ - μὴ] καὶ Γ Ρ Φ
73. οὐδ'οὐ μὴ 〉 Γ Ρ Φ
74. ἁγίαν + ἵνα Γ Ρ Φ
75. ἐξυπνισθῇ] διυπνισθῇ Γ Ρ
καὶ + ἁγιασθῇ ἡ καρδία τῷ φρονήματι τοῦ πνεύματος· ἵνα Γ Ρ Φ
77. γὰρ 〉 Γ Ρ
τοῦ] αὐτοῦ Γ Ρ
78. χάριν + τοῦ κυρίου Γ Ρ, + καὶ Ι
ἀνεπιτήδειος + ἀκμὴν Γ Ρ
καὶ ἀνεύθετος 〉 Γ Ρ
79. πνεύματος + ἐὰν συνεργὸς καὶ σύνδρομος ἐξ ὅλης προαιρέσεως τῆς χάριτος ἕως τέλους ἐὰν (ἐὰν 〉 Ρ) γένηται Γ Ρ Φ
παρατρεπόμενος + κακίας πάθει Γ Ρ Φ

κακοπραγίας] κακοπραξίας Γ
καὶ[2]] ἵν Γ
ἐπὶ 〉 Γ
ἀγωνισάμενος + καὶ Γ Ρ
81. λυπήσει] λυπήσας Γ Ρ
πνεῦμα + οὐ Ρ
δυνηθῇ Γ
αἰωνίου + καὶ ἀληθινῆς Γ Ρ
ζωῆς + οὐδὲ (οὐδὲ 〉 Γ Φ) τὴν λύτρωσιν (τῆς λυτρώσεως Ρ) τῶν παθῶν διὰ τοῦ πνεύματος κτήσασθαι (κτήσασθαι 〉 Ρ) καταξιωθείς (καταξιωθήσεται Ρ Φ) Γ Ρ Φ
δυνηθῇ ἐπιτυχεῖν Γ, δυνήσεται ἐπιτυχεῖν Ρ
82. γὰρ αἰσθάνεται (αἴσθεται Γ) Γ Ρ
ἐκ 〉 Γ Ρ
παθῶν + ἕν τε Γ Ρ
83. θυμῷ Γ Ρ
παθῶν λέγω Ι Φ, λέγω 〉 Γ Ρ
ἐπιθυμίας] ἐπιθυμίαις Γ Ρ
φθόνῳ Γ Ρ
βάρει Γ Ρ
πονηροῖς λογισμοῖς Γ Ρ
84. τῶν - ἀτοπημάτων] τοῖς λοιποῖς τῆς κακίας ἀτοπήμασιν Γ Ρ
αἴσθεσθαι Γ Ρ
85. τοῦ 〉 Γ Ρ
θεοῦ + ἐνεργείᾳ Γ Ρ Φ
ἀρεταῖς + ἕν τε Γ Ρ
λέγω 〉 Γ Ρ
86. ἐλαφρότητι + καὶ ἀναπαύσει Γ Ρ Φ
θείᾳ + τοῦ πνεύματος καὶ τοῖς λοιποῖς καρποῖς τοῦ πνεύματος (τοῦ πνεύματος 〉 Ρ) τῆς χάριτος Γ Ρ Φ
87. συγκερασθῆναι] συγκερασθῇ Γ, + ἡ ψυχὴ Γ Ρ

89. αὔξησιν + τούτων καταξιοῦται Γ Ρ
καιροῖς δοκιμαζομένη (δοκιμαζομένης Ρ) ~Γ Ρ
τῆς προαιρέσεως Ρ
90. καὶ + εἰ Γ, + ἡ Ρ
εὐαρέστως Γ
εὑρισκομένη ἡ (ἡ 〉 Ρ) ψυχὴ Γ Ρ
91. λοιπὸν + ὁλοτελῶς Γ Ρ
92. δόξα - 94. ἀμήν 〉 Γ Ρ Φ

H 25

2. οἷς] ὡς Εφ
ὁ > Ευ
ὁ θεῖος νόμος] ἐνυπάρχει ~Βα Εφ
οὐκ ἐν] οὐ Εφ
γράμματι Ευ
ἐγγεγραμμένος] γεγραμμένος Ευ Εφ, ἐγκεχαραγμέ-
νος Βα + ἀλλ'ἐν πνεύματι θεοῦ ζῶντος καὶ οὐκ
ἐν πλαξὶ λιθίναις ἐντετυπωμένος Σ Φ Βα Ευ
3. καρδίαις] πλαξὶ καρδίας Σ Φ Βα
σαρκίναις Φ] καθαραῖς Σ Εφ
4. ἀεὶ] δὴ Ευ
οὐ - 5. νοητῆς] ἴσασιν ἀκριβῶς, μὴ ἐκ τῆς οἰκεί-
ας αὐτῶν ἰσχύος Σ Φ Εφ
5. ἀοράτου καὶ > Βα Ευ
νοητῆς + ἴσασιν ἀκριβῶς, ὡς (μὴ Ευ) οὐκ ἐκ τῆς
οἰκείας αὐτῶν ἰσχύος Βα Ευ
τῶν + ἐκ Εφ
6. ἰσχύουσιν - ἑαυτῶν] δυνατόν Βα, > Ευ Εφ
οὐκ - ἑαυτῶν > Σ Σ+ Φ
7. δυνάμεως + τοῦ θεοῦ Βα Φ
θεοῦ > Εφ
μήτε - πεπαιδευμένοι > Σ Βα Φ
μήτε] μηδὲ Ευ Εφ
νόμῳ] νῷ Ευ Εφ
8. ἀλλ'εἰκῆ Βα
οἴονται] ὅτι Εφ
διὰ - 9. τῆς[2] Φ > Εφ
τοῦ] τὰς Ευ*

ἰδίου] ἐν αὐτοῖς Ευ
9. ἀφορμὰς] ὁρμὰς Ευ
τοῦ] τῷ Ευ*
τοῦ μυστηρίου τοῦ σταυροῦ καταργουμένης Βα
10. κατακρινομένης] καταργουμένης Ι, σώζονται κατακρίνονται Εφ
11. τῷ^{1}] τὸ ἑλέσθαι μόνον (> Βα) ἢ μὴ ἑλέσθαι Φ Βα Εφ
ἀντιστῆναι] ἀνιστῆναι Ευ
ἀλλ οὐκ] οὐ γὰρ Φ Ευ Εφ, ἀλλ' > Βα
τῷ^{3}] τὸ Ι Εφ
ἔχειν > Βα Ευ Εφ
12. παντελῶς + ἔχει Εφ, + ἔχειν Βα Ευ
ὁ > Ευ Εφ
κύριος φυλάξῃ πόλιν καὶ οἰκοδομήσῃ Βα
13. φησὶν > Βα Ευ Εφ
καὶ φυλάξῃ πόλιν > Βα
ἠγρύπνησεν - 14. οἰκοδομῶν] ἐκοπίασον οἱ οἰκοδομοῦντες και ἀγρυπνῶν (ἀγρυπνεῖ Εφ) ὁ φυλάσσων (καὶ - φυλάσσων > Φ) Σ Φ Εφ
ἠγρύπνησεν] ἀγρυπνεῖ Βα Ευ
14. κοπιᾷ] κοπιῶν Ευ
ὁ οἰκοδομῶν > Ευ
16. δράκοντα + εἰ Σ Φ Ευ
καθ'ὅσον] καθ'ὁ Βα
17. ἐκκαθάραντα] καθάραντα Εφ
καὶ > Βα Ευ Εφ
δυναμωθέντα] δυναμωθῆναι Βα Ευ Εφ
19. τὴν > Ευ
ἐχθροῦ Φ] ἀντικειμένου Εφ
εἴπερ] εἰ Ι Ευ
γὰρ > Εφ
20. ἐκτὸς - πνεύματος Φ > Ευ
πανοπλίας > Βα

πνεύματος + πανοπλίας Βα
21. ὑπὸ - 22. ἀποστόλου] τῷ ἀποστόλῳ Ευ
ὑπὸ] παρὰ Βα
22. δὲ > Ευ
23. ὑμῶν Σ Φ] ἡμῶν Εφ
ὃν > Εφ
ὁ > Ευ
κύριος] Ἰησοῦς Χριστὸς Ευ Εφ + Ἰησοῦς Βα
ἀνελεῖ] ἀναλώσει Φ Ευ Εφ
24. αὐτοῦ Βα
δὴ] δεῖ Εφ
προσετάχθημεν Φ] προσευχῇ Εφ, + ἐν τῇ προσευ-
χῇ Σ Ευ
κυρίου Φ] δεσπότου Ευ Εφ
25. εἰσενέγκῃς εἰς πειρασμὸν ἡμᾶς Ι
εἰσενέγκῃς] εἰσελθεῖν Βα
26. τῆς + τοῦ Εφ
27. καταξιωθείημεν Ευ
τῆς + Ἰησοῦ Σ Ευ
υἱοθεσίας Φ] ἀπαθείας Σ Ευ Εφ
εἰς > Εφ
28. ὡς πόρρω] ὥσπερ οὐ Εφ
θεοῦ] σταυροῦ Σ Φ Βα Ευ Εφ
29. κατόπτρῳ] καθαρῷ ἐσόπτρῳ Φ Βα Εφ
30. τὴν]τοῦ Εφ
ὁρᾶν > Εφ
ἡγεμονικῷ + ὁρᾶν Εφ
ἑαυτοῦ] αὐτοῦ Ι, αὐτοῦΒα, > Σ Ευ Εφ
31. ἀπλήστῳ Φ] ἀπλάστῳ Εφ
νύκτωρ + τε Βα
32. ἐκ - θεοῦ > Εφ, τοῦ > Ευ
δυνάμει Φ + καὶ πληροφορίᾳ Ευ
ἀμήχανον] ἀδύνατον Φ Ευ
33. εἰ > Ευ
προεῖπον] προείπομεν Βα

ἀπόσχοιτο - πρότερον] πρότερον ἀποσχόμενόν τινα Ευ Εφ, πρότερον ἀπεχόμενον Βα

34. τῆς τοῦ κόσμου ἡδυπαθείας Βα
κόσμου + καὶ Φ Ευ Εφ
τῶν + τε Βα
τῶν ἐπιθυμιῶν 〉 Εφ
ἥτις Φ] δύναμις γὰρ σκότους δυνάμεως Σ Ευ Εφ

35. ἐνέργεια - ἀγαθῆς Φ 〉 Βα Ευ
ἀνοίκειος] ἄνοικος Εφ
ἐστι[2] 〉 Ευ Εφ, ἐστι[2]] ἀγαθῆς Βα

36. ἀπεξενωμένη] ἀποξενωμένη Ευ + τυγχάνει Βα Ευ Εφ

37. εἰ] εἴπερ Βα Ευ Εφ
ἕνεκα Ευ
ἐν - κατοικισθέντες] καὶ τεθέντες Βα

38. ἐν + τῷ Ευ Εφ
παραδείσῳ] τιμῇ Ευ Φ
τελευταῖον] τελειταῖον Ευ
παρεσυνεβλήθημεν Ευ

39. κτήνεσι τοῖς ἀνοήτοις Ευ Εφ
ὁμοιώθημεν Ευ

40. ὅτι] ἐπειδὴ Βα, + ἐπειδὴ Ευ Εφ
τῶν - παθῶν] τῆς σαρκὸς τοῖς πάθεσι Βα Εφ (τοῖς 〉 Εφ)
παθῶν] παθήμασι Ευ

41. ἀπεκλείσαμεν ἑαυτοὺς] ἑαυτοὺς ἀπωκίσαμεν Βα Ευ Εφ
ἐκ τῆς Ευ Εφ

42. ἔτι 〉 Σ Ευ
τῶν ποταμῶν Φ] τὸν ποταμὸν Ευ*
καθεζόμεθα] καθέζεσθαι Βα

43. ἡμᾶς ἐν Αἰγύπτῳ ~Εφ
οὔπω - 45. ζύμῃ 〉 Ευ
κατέχεσθαι Φ] καθέζεσθαι Εφ

44. γῆν - μέλι Φ] ῥέουσαν μέλι καὶ γάλα γῆν τῆς ἐπ-
αγγελίας Εφ
τῆς ἐπαγγελίας 〉 Ευ
μέλι καὶ γάλα ~Βα
τὴν 〉 Ευ Εφ
45. εἰλικρινείας Φ + καὶ ἀληθείας Ευ Εφ
πονηρίας Φ] σαρκὸς πονηρᾷ Ευ Εφ
46. καρδία ἡμῶν ~Εφ
αἵματι + τοῦ ἀμνοῦ Σ Φ Βα Ευ Εφ
47. ἄγκιστρον Φ] κέντρον Εφ
ἐμπέπηκται Φ] ἐντέτακται Φ Ευ Εφ
48. τοῦ[2] 〉 Εφ
49. ἐγκατερρίζωται] κατερρίζωται Εφ, ἐμπέπαρται Βα,
+ ἐν Εφ
50. ὁσιότητι Φ] θεότητι Εφ + καὶ δικαιοσύνῃ Βα
51. ἀπεδυσάμεθα Φ] ἀπεξεδυσάμεθα Ευ Εφ
52. φορέσαντες] ἐφορέσαμεν Ευ Εφ
53. σύμμορφοι - δόξης] οὔπω σύμφυτοι τῆς εἰκόνος Ευ
γεγόναμεν] γενόμενοι Εφ, + ἔτι γὰρ τὴν εἰκόνα
τοῦ χοικοῦ φορῶμεν (φοροῦμεν Βα Ευ) Σ Φ Βα Ευ Εφ
54. θεῷ] τὸν θεὸν Ευ Εφ, θεοῦ Βα
τὸ] τοῦτο Ευ + ἔτι Βα
βασιλεύειν] συμβασιλεύειν Ι, ἐπιβασιλεύει Ευ
τὴν ἁμαρτίαν] ἡ ἁμαρτία Ευ
55. ἀφθάρτου + θεοῦ Βα
56. σκοτομήνης Σ Φ] τὴν σκιὰν Εφ
τὰ + τοῦ φωτὸς Εφ
τοῦ φωτὸς 〉 Εφ
57. ἐπειδὴ - βέλη Φ 〉 Εφ
ἀπεδυσάμεθα] ἐξεδυσάμεθα Ευ
τὰ 〉 Ευ
καὶ βέλη Φ 〉 Βα Ευ
58. μετεμορφώθημεν + ἐν Ευ
ἀνακαινίσει] ἀνακαινώσει Βα Ευ Εφ

νοὸς Φ + ἡμῶν Σ Σ+ Ευ Εφ
59. σχηματιζόμεθα Εφ, συνσχηματιζόμεθα Ευ
ἐν - ματαιότητι Φ 〉 Εφ
60. Χριστῷ 〉 Ευ
συνεδοξάσθημεν Χριστῷ ~Εφ
αὐτῷ ἡμᾶς ~Ευ
61. σώματι Φ] σάρκι Εφ
φέρομεν] ἐβαστάσαμεν Βα Ευ Εφ
τῷ^{2} 〉 Εφ
62. Χριστοῦ τοῦ σταυροῦ Βα
τοῦ Χριστοῦ 〉 Σ Σ+ Φ Ευ
σαρκικοῖς] τῆς σαρκὸς Σ Φ Ευ
γάρ + ἐσμεν Βα Ευ Εφ
καὶ + ἐν Βα
63. ἐσμέν 〉 Βα Ευ Εφ
θεοῦ - συγκληρονόμοι Σ+ Φ 〉 Σ Ευ
θεοῦ κληρόνομοι ~Ι
καὶ συγκληρονόμοι 〉Εφ
64. γεγόναμεν] ἐγενόμεθα Εφ
δουλείας Φ] δειλίας Εφ
ἐνυπάρχει ἡμῖν ~Βα Ευ Εφ
οὐχ] οὐχὶ Εφ, οὐκ Ευ
65. ναὸς + τοῦ Ευ
οἰκητήριον + τοῦ ἁγίου Εφ
ἁγίου 〉 Εφ
66. πονηρίας Φ] πονηρῶν Σ Σ+ Ευ
διὰ - 67. ὁρμήν Ευ Σ Φ 〉 Εφ
67. πάθη + ἡμῖν Φ Ευ
γὰρ + ὄντως Βα Εφ
ἀκέραιον τοῦ τρόπου ~Εφ
οὐδέπω τὸ ἀκέραιον τοῦ τρόπου Βα
68. διανοίας + ἁπλότητα ἐνεδειξάμεθα καὶ τὴν Φ Εφ
λαμπρότητα + οὐκ Σ Σ+ Φ Εφ
69. ἡμῖν + ἡ Ευ Εφ

70. διηύγασεν Σ Σ+ Φ] ηὔγασεν Βα
οὔτε] οὐδ' Βα Ευ
ἑωσφόρος Φ] ὡς φωσφόρος Ευ
71. συνεκράθημεν] συνεκεράσθημεν Εφ
οὔτε] οὔπω Ι, οὐδὲ Ευ Εφ
αὐγαῖς 〉 Ι
72. συνηστρφαμεν Ευ*] συνεστράφαμεν Ευ
οὔπω - 73. κοινωνοί 〉 Εφ
οὔτε] οὐδὲ Βα Ευ
73. θείας + αὐτοῦ Ευ
κοινωνοὶ φύσεως ~Βα
γεγόναμεν²] ἐγενάμεθα Ευ
πορφύρα ἄδολος ~Εφ
74. οὔτε - θεική 〉 Εφ
οὔτε] οὐδὲ Βα, οὐδ'Ευ
ἀνόθευτος 〉 Ευ
τῷ θείῳ ἔρωτι] ὑπὸ τοῦ θείου ἔρωτος Βα Ευ Εφ
75. οὔτε] οὐδὲ Βα Εφ, οὐδ'Ευ
76. ἄφραστον] ἄφθαρτον Ευ Εφ, ἀόρατον καὶ μυστικὴν Βα
ἐγνωρίσαμεν Σ+ Φ] ἐδεξάμεθα Ευ
οὔτε] οὐδὲ Εφ Ευ, οὐ Βα
77. συνελὼν πάντα] σύμπαντα Ευ
τὰ πάντα Βα Εφ
78. γένος + οὐκ Ευ
79. ἔτι 〉 Εφ
ὄφεις 〉 Σ Σ+ Εφ
ἐχιδνῶν + πῶς γὰρ οὐκ ὄφεις οἱ ἐπὶ γῆς συρόμενοι καὶ τὰ τῆς γῆς φρονοῦντες καὶ οὐκ ἐν οὐρανῷ (οὐρανοῖς Βα) τὴν πολιτείαν ἔχοντες; Σ Σ+ Φ Βα Ευ Εφ
δὲ 〉 Εφ
ὄφεις²] γεννήματα ἐχιδνῶν Βα Εφ
μὴ] μὲν Βα Ευ 〉 Εφ

80. τοῦ θεοῦ > Ευ
θεοῦ Φ] Χριστοῦ Εφ
μὴ εὑρισκόμενοι Εφ
διὰ > Φ Εφ, ἰδίᾳ Ευ
γενομένῃ > Βα Ευ Εφ
82. ἐπὶ τούτοις > Φ Εφ
ἐπὶ τούτοις] ἐπειδὴ Σ+ Βα Ευ
πῶς τοίνυν ~Εφ
μὲν > Ευ Εφ
συμφοράν + ταύτην Φ Βα Ευ Εφ
83. δὲ] δ' Ευ
ἐκβοήσας] καὶ βοήσας Εφ
ἐξελάσαι] ἐξελέσθαι Εφ
84. ἐν ἐμοὶ > Βα Ευ Εφ
αὐλιζομένην ἐν ἐμοὶ ~Βα Ευ
πλάνην Φ Σ] ἁμαρτίαν Σ+ Ευ + ἐν ἐμοὶ Εφ
καὶ πῶς Βα
δὲ > Βα Ευ Εφ
86. τοῦ Φαραώ δουλείαν ~Βα Ευ Εφ
καταλίπω] καταλείπω Ευ Εφ, καταλείψω Βα
αἰσχρὰν τὴν ~Βα
87. ἀρνήσωμαι Ευ
γῆς] τῆς Σ+ Φ Βα Ευ
88. παρέλθω] διέλθω Ευ
89. μεγάλην] φοβερὰν Βα Σ+, > Εφ
τῶν ὄφεων Φ] τοῦ ὄφεως Ευ
90. ἐν ἐμοὶ > Βα Εφ
δέξωμαι Εφ
91. ὄψωμαι Εφ
ἀληθινὸν > Βα Ευ Εφ
92. τοῦ[1] + ἀληθινοῦ Βα Ευ Εφ
τῆς] τὴν Ευ Εφ
νεφέλης] νεφέλην Ευ Εφ
93. τρυφῆς] τροφῆς Σ+ Βα Εφ

τὸ] τοῦ Εφ

94. ὕδωρ] ὕδατος Εφ

Ἰορδάνην + καὶ Σ+ Φ Ευ

παρέλθω] εἰσέλθω Σ+ Φ Ευ

εἰσελθὼν] ἵνα εἰσέλθω Βα, καὶ εἰσέλθω Εφ

95. τῆς ἐπαγγελίας] τὴν ῥέουσαν γάλα καὶ μελί Εφ

κυρίου Σ+ Φ 〉 Βα Ευ Εφ

96. ἰδὼν + ὁ Ι, προσεκύνησεν + τὸν θεὸν Βα

97. γὰρ 〉 Ευ

διὰ πάντων τούτων ~Βα Ευ Σ+, δι' αὐτοῦ Εφ

γενόμενος 〉 Εφ Σ+

98. εἰσελθὼν] εἰσέλθω καὶ Ευ Εφ

οὐδὲ] οὐ Βα Ευ Εφ

99. γένωμαι] γένωμα Ευ, γένομαι Εφ

τῆς + τοῦ Ευ Εφ

βασιλέως] τοῦ θεοῦ Βα

100. σπούδασον Φ] σπουδάσωμεν Σ+ Ευ

ἄμωμον Φ] ἀμώμητα Σ+ Ευ

τέκνον Φ] τέκνα Σ+ Ευ

101. Χριστός] Ἰησοῦς Φ Βα Ευ

102. σπούδασον Φ] σπουδάσωμεν Σ+ Ευ

ἐν οὐρανοῖς Φ] τῶν οὐρανῶν Ευ, ἐπουρανίῳ Βα, οὐρανίῳ Εφ

103. εὑρεθῇς Φ] εὑρεθῶμεν Ευ

σπούδασον Φ] σπουδάσωμεν Σ+ Ευ

104. τὴν εἰρηνευομένην 〉 Σ+ Φ Βα Ευ Εφ

105. καὶ ἀνωτάτην Φ] τὴν ἄνω Σ+ Φ Ευ

καὶ[1]] τὴν Βα Εφ

ἔνθα - παράδεισος] καὶ εἰς τὴν τοῦ παραδείσου τρυφὴν Βα

παράδεισος + τῆς τρυφῆς Εφ

106. θαυμαστῶν Φ] θαυμάτων Ευ

καὶ - παραδειγμάτων Φ 〉 Σ+ Ευ

παραδειγμάτων] πραγμάτων Ευ Εφ

οὐχ] οὐκ Ευ
107. πῶς 〉 Σ+ Φ Ευ
καταξιωθήσῃ] ἀξιωθείημεν Σ+ Ευ, καταξιωθείης Βα
εἰ - καταφέρεις] ἢ καταφέροντες ἑκάστης Ευ
καταφέρεις] καταφέροις Βα
δάκρυα + ὡς χειμάρρους Σ+ Βα Εφ
ἡμέρας + τε Βα
νυκτὸς + δακρύων πηγὰς Ευ
108. λέγοντα + ἅγιον Εφ
ἐν + δὲ Ευ
109. οὐ - ἀγνοεῖς Φ] ἀγνοεῖν γὰρ οὐκ ὀφείλομεν Ευ
110. μετὰ παρρησίας / ὁ προφήτης ~Βα
111. μετὰ παρρησίας 〉 Φ Ευ Εφ
πάλιν + λέγει Εφ
112. ἔθου - καὶ^2 〉 Ευ
μου + ἐνώπιόν σου Ι Σ+ Φ Βα Εφ
καὶ^2 Φ + πάλιν Βα Ευ Εφ
113. ἐμοὶ Φ 〉 Ευ
ἐν - ψαλμῷ Φ 〉 Σ+ Ευ Εφ
ψαλμῷ + φησι καὶ Βα
114. ἐκίρνων] ἐκρίνων Ευ
τὸ] τῷ Βα Ευ
ὄντως Σ+ Φ] ὄντι Βα Ευ, 〉 Εφ
115. προχεόμενον - 116. σπλάγχνων] (καὶ Βα) μετὰ πυρώσεως σπλάγχνων δάκρυον προχεόμενον (προσχε-όμενον Εφ) ἐν γνώσει ἀληθείας Βα Ευ Εφ
116. μετὰ - σπλάγχνων 〉 Βα Ευ Εφ
117. ἐπουρανίου] οὐρανίου Βα Ευ Εφ
οὗ] γὰρ Ι
μετέσχε + ἡ μακαρία Εφ
118. τοῖς ποσὶ] τοὺς πόδας Εφ
κυρίου] Χρίστου Εφ
καὶ + καθώς φησιν ὁ Χριστός Εφ
δακρύουσα] δακρύσασα Εφ

κατὰ - 119. σωτῆρος ⟩ Εφ

κατὰ] μετὰ Ι, κατ᾽αὐτὴν Ευ

τὴν - αὐτοῦ ⟩ Ευ

μαρτυρίαν - 119. σωτῆρος] τὴν αὐτοῦ τοῦ σωτῆ-ρος μαρτυρίαν Βα

119. Μαρία] Μαριὰμ Εφ, + δὲ Ι Βα, + γὰρ Εφ

ἀγαθὴν] καλὴν Ευ

120. ἀπ᾽ ⟩ Ευ Εφ

πολυτίμων] πολυτιμήτων Βα Ευ + δακρύων Βα

121. ἐν - ἐπιρροῇ] δικὴν ἀπορρεόντων Βα

δακρύων] ἐκείνης ὀμμάτων Βα

εὐθείας] θείας Βα

122. ὦ[1] - διανοίας ⟩ Εφ

σοφῆς ἀνδρείας ~Φ Ευ

ὀξύτης] ὀξύτητος Φ Ευ Εφ

πνεύματος] πνευματικοῦ Φ Βα Ευ Εφ

123. κυρίου ⟩ Φ Βα Ευ Εφ

τὸν Φ + πνευματικὸν καὶ Ευ

ἄχραντον] θεῖον Εφ

νυμφίον] νυμφῶνα Βα

ἐπαγομένου] ἐπαγομένης Ευ, ἐπηγομένης Ευ*, ἐπ-ειγομένου Βα Εφ

124. σύντομος κοινωνία] συντόνου κοινωνίας Βα

125. τὸν οὐράνιον ⟩ Ευ Εφ

οὐράνιον ⟩ Βα

126. μίμησαι[1.2] Φ] μιμησώμεθα Σ+ Ευ

ὡς] ᾧ Φ Ευ Εφ

τέκνον] τέκνα Ευ

ἕτερον ἀφορῶσα] ἀφορῶν ἕτερον Βα

ἀφορῶσα Φ] ἀφορῶντες Ευ

127. εἰ μὴ] ἢ Βα Ευ Εφ

μόνον πρὸς ~Ευ

μόνον ⟩ Βα Εφ

εἰς τὴν γῆν ⟩ Βα

εἰς] ἐπὶ Εφ

τὴν γῆν Φ] τὸν κόσμον Ευ
καὶ + τί Φ Βα Ευ
ἤθελον] θέλω Ι Ευ
128. τοῦ > Εφ
129. τὰς > Βα Ευ Εφ
ἄϋλον Φ] ἅγιον Ευ
φωτίζειν] φωτίζει Βα
δοκιμάζειν] δοκιμάζει Βα
130. εἴωθεν] ἔσωθεν Βα
ὥσπερ] ὡς ἅτε Ευ
χρυσὸν] χρυσίον Ευ
ἐν καμίνῳ Σ+ Φ > Ευ
ἀναλίσκειν] ἀναλίσκει Βα
131. καλάμην / ἀκάνθας ~Βα
132. ἐκδίκησιν + ἐν πυρὶ φλογὸς Βα
τοῖς - 133. ὑπακούουσι > Εφ
ἐν - πυρὸς > Βα Ευ
133. ἐν > Σ Βα Ευ
134. πυρίναις γλώσσαις ~Βα
πυρίναις + τοῖς ἀκούουσιν Εφ
135. φωνῆς] δόξης Σ+ Φ Βα Ευ Εφ
περιλάμψαν] περιέλαμψε καὶ Ευ, περιεφώτισε Εφ
τὴν - ἐφώτισε > Εφ
αὐτοῦ διάνοιαν ~Βα
136. τὴν δὲ αἴσθησιν] τῇ δὲ αἰσθήσει Εφ
αὐτοῦ > Βα Εφ
χωρὶς] χωρεῖ εἰς Φ Ευ, χωρεῖ Βα, ἐχώρει Εφ
137. εἶδεν] ὅρασιν Φ Ευ, ὅρασις Βα Εφ
τοῦ φωτὸς / ἐκείνου ~Εφ
τὴν δύναμιν] ἡ δύναμις Φ Ευ
ὤφθη] τὸ ὀφθὲν Εφ
Μωϋσῇ] Μωυσεῖ Βα, Μωσεῖ Ευ, Μωσῇ Εφ
138. ὀχήματος Σ Φ] σχήματος Ευ
τὸν Ἠλίαν Βα Εφ

ἐκ τῆς γῆς ⟩ Σ+ Βα
ἥρπασε] ἀνήρπασεν Ευ
139. ζητῶν / τὴν ἐνέργειαν ~Ευ
μακάριος Φ ⟩ Σ+ Ευ Εφ
141. τὴν καρδίαν[2] ⟩ Βα
καρδίαν[2] + τοῦ Ευ
Κλεόπα] Κλεοπᾶ Ευ, Κλεώπα Βα Εφ
τῶν] τοῦ Ι Ευ
142. αὐτῷ + τὰς καρδίας Βα
λαλοῦντος + αὐτοῖς Σ+ Φ Βα Ευ Εφ
τὴν + ἐκ νεκρῶν Εφ
καὶ ⟩ Βα
143. τούτου - 145. αὐτοῦ ⟩ Βα
τούτου - 145. πνεύματα ⟩ Φ Ευ
τοῦτου ⟩ Εφ
145. φλέγον + εἰσί Βα
146. ἔνδον / ἐν τῷ ~Εφ
κατακαῖον] κατακαίει Ευ
καθαρὸν - 147. ἵνα Φ ⟩ Ευ
147. ἀπολαβὼν] λαβὼν Ευ
ὁρᾷ ⟩ Εφ
εἰς τὸ ⟩ Βα
διηνεκὲς] διηνεκῶς Βα
148. θαυμάσια + κατανοεῖν γίνεται Εφ
149. θαυμάσια + σου Φ Ευ
τοιγαροῦν ⟩ Εφ
150. φυγαδευτήριον + κακίας (+ τε Βα, + δὲ Ευ, + πά-
σης Εφ) καυστικόν Σ Φ Βα Ευ Εφ
καὶ - ἀναιρετικόν ⟩ Βα
151. δὲ ⟩ Βα Ευ Εφ
ἁγίων ⟩ Εφ
153. ἐν + τῷ Ευ Εφ
μηδέποτε] μηδὲ Βα, μὴ Ευ Εφ
κἂν πρὸς βραχὺ ⟩ Εφ

κἂν 〉 Βα

154. προσκόψωμεν + ποτε Βα Ευ

προς - ἡμῶν 〉 Βα Ευ Εφ

155. φαινόμενοι + καὶ Εφ

ἐπέχωμεν] ἐπέχοντες Εφ

ἀϊδίου - 158. ἀμήν 〉 Εφ

ἀϊδίου] ἀϊδίως Βα Ευ

156. ἐν τοῖς ἀγαθοῖς 〉 Βα

κυρίῳ + ἡμῶν Ἰησοῦ Χριστῷ Βα

ἐν ζωῇ / ἀναπαυσώμεθα ~Βα Ευ

156. δοξάζοντες - 157. κράτος 〉 Φ Βα Ευ

157. καὶ τὸ κράτος 〉 Ι

158. αἰῶνας + τῶν αἰώνων Φ Βα Ευ

H 26

2. τί ἐστιν ~Γ Ρ

3. γῆ + καὶ τὰ λοιπὰ δημιουργήματα Γ Ρ Φ Σ+

4. θεὸς Φ] κύριος Γ Ρ Σ+

6. τετραυματισμένον Φ + τὸν νενεκρωμένον Γ Ρ Σ+

7. Ἀδάμ + καὶ μείζονά σε τούτον ποιῆσαι, ἵνα ἀποθεωθῇς Γ Ρ Φ, + μέγας γὰρ ἦν ὁ Ἀδὰμ πρὸ τῆς παρακοῆς Γ Ρ

8. γὰρ - ἄνθρωπος > Γ Ρ Φ Σ+
καὶ^{2} Φ > Γ Ρ

10. εἰκὼν Φ] καὶ κακῶν Ι
ἀπολωλώς] ἀπολωλός Γ Ρ

11. νοῦν + αὐτοῦ Γ Ρ Ι Σ+
σατανᾶς + καὶ Ρ

12. τινι^{1} + αὐτοῦ μέρει Ρ
οὕτως] οὗτος Γ Ρ Ι
τινι^{2} + αὐτὸς Ρ
διακρίνει] διακονεῖ καὶ διακρινεῖ Σ+

13 - 301 = B 7, I, 92, 5 - 102, 20

302 - 366 = B 6, I, 82, 17 - 84, 23

H 28

4. ἔτι ἦν ~I
11. καὶ[4] + ἡ I
15. ἐπὰν] ἐὰν I
19. ὁπότε] ὁπόταν I
23. πικρίας Φ] πονηρίας I
26. τοῦ πνεύματος ἀγαθοὺς ~I
32. καὶ[2] + ὁ I
33. ἐπὶ] πρὸς I
37. ἐξέτιλλε I
46. ἔβλεπον Φ] ἔβλεπε I
49. ἁγίους ἀγγέλους ~I
64. ὑπὸ 〉 I
68. κύριον + καὶ I
88. δύο[2] 〉 I
89. ἐργαζομένους I
91. μόνῳ I
96. αὐτῶν] αὐτὴν I

H 30

3. ἐπιδέξασθαι P
   τοῦ θεοῦ ⟩ Γ P
4. γινόμενον Γ, γεννώμενον P
   διὰ τοῦτο] διὸ Γ
   ἔργον[2]] λόγος Γ, ὁ λόγος P
5. κύριος] θεὸς Γ P
7. ἡ σκία δὲ] καὶ ἡ μὲν P
8. καὶ ἡ] ἡ δὲ P
9. ἀληθείας + αὐτοῦ Γ P
   λόγος + δηλῶν πᾶσαν Γ P
11. οἱ + οὖν P
   γεννῶσι + τὰ Γ P
   τῶν σωμάτων Γ P
12. καὶ τῆς ψυχῆς ⟩ Γ P
   γεννηθέντων Γ
   ἐπιμελῶς ⟩ P
13. ἕως + οὗ Γ P
14. τοῖς γὰρ] καὶ τοῖς Γ P
15. γίγνεται] γέγονεν Γ P
   σχεῖν] ἔχειν Γ P
16. ἂν ⟩ Γ P
17. χαίρονται Γ
20. διὰ[1] + τῶν Γ P
   καὶ] διὰ P
   ἔσχατον + δὲ P
21. αὐτὸς + δι' ἑαυτοῦ Γ P
   σταυρὸν Γ P

22. θάνατον] παθεῖν Γ Ρ
οὗτος] ἁπλῶς Ρ
αὐτοῦ] αὐτῷ Ρ
23. τοῦ > Γ Ρ
ἄνωθεν + γεννηθέντα Γ Ρ
24. εὐδοκήσας > Ρ
γεννηθῆναι > Γ Ρ
25. γεννήσωσι + τέκνα Γ Ρ
26. εἴκονα + καὶ Γ Ρ
ἠθέλησεν] θελήσας Γ Ρ
27. τῆς θεότητος γεννῆσαι ~Γ Ρ
εἰ] ἐὰν μὴ Ρ
οὖν > Γ Ρ
μὴ > Ρ
θελήσωσιν] ἐλπίζουσι μὴ δὲ πιστεύουσιν Γ, ἐλπίσωσι μὴ δὲ πιστεύσωσιν Ρ
τοιαύτην] ταύτην τὴν Γ Ρ
28. καὶ > Γ
30. κύριος] θεὸς ταύτης Γ Ρ
31. ταύτης > Γ Ρ
33. ψυχὴ Γ
ἀδύνατον] οὐ δύναται Γ Ρ
34. τοῦ θεοῦ] τῶν οὐρανῶν Γ Ρ
ὥστε] ὥσπερ Γ Ρ
35. πιστεύουσι + καὶ προσέρχονται Γ Ρ
προσερχόμενοι > Γ Ρ
36. χαρὰν - ἀγαλλίασιν] χαρὰ γίνεται καὶ ἀγαλλίασις μεγίστη Γ Ρ
γονεῦσι ἐν οὐρανοῖς ~Γ Ρ
37. τε] γὰρ Ρ, > Γ
38. χαίρουσι + καὶ ἑορτάζουσιν Γ Ρ
γεννηθήσει Γ
39. τυγχάνει > Γ Ρ
ψυχῆς + ἐστιν Γ Ρ

40. καὶ 〉 Γ
χωρὶς τῆς ψυχῆς τὸ σῶμα ~Γ P
41. ἐστι] τυγχάνει Γ P
42. ἀπὸ (ὑπὸ Γ) τῆς βασιλείας τυγχάνει ~Γ P
πνεύματος + ἡ ψυχὴ Γ P
43. ἡ ψυχὴ 〉 Γ P
45. ὥσπερ γὰρ ὁ] καὶ ὥσπερ P
προσέχων P
τὸ πρόσωπον Γ
καὶ 〉 P
46. καὶ - ἢ] ἐὰν καὶ P
ἐξ ἐναντίας] ἐναντίον Γ
προσέχον αὐτῷ] ἀπεναντίας ἀτενίζει τῷ P
αὐτῷ + τῷ Γ
47. ἐκεῖνος 〉 Γ P
48. διὰ - 49. γράφοντι 〉 P
μὴ ἀτενίζειν 〉 Γ
49. γράφοντι + μὴ ἀτενίζειν Γ
ὁ Χριστὸς ὁ καλὸς ζωγράφος ~Γ P
50. αὐτῷ] εἰς αὐτὸν Γ P
εὐθέως 〉 P
51. αὐτοῦ[1]] αὐτῆς Γ, τῆς ψυχῆς P
πνεύματος αὐτοῦ ~P
52. αὐτοῦ + καὶ P
τοῦ[1] + ἑαυτοῦ Γ
τοῦ[1] - ἀνεκλαλήτου] τοῦ ἀνεκλαλήτου αὐτοῦ
φωτός P
γράφει - 53. οὐράνιον 〉 P
53. ἐπουράνιον Γ
καλὸν αὐτῆς καὶ ἀγαθὸν ~P
54. τῶν πάντων] τὰ πάντα Γ P
μὴ 〉 Γ P
55. γράφει Γ P
ὁ κύριος 〉 Γ P

56. εἰς] ἀεὶ πρὸς Γ Ρ

57. προσέχοντες Γ

τὴν[2] 〉 Γ Ρ

ἑαυτοῦ ἐπουράνιον εἰκόνα Γ Ρ

59. λαβῶμεν καὶ] λαβούσων τῶν ψυχῶν ἡμῶν Γ Ρ

πληροφορηθέντες 〉 Γ

ἀναπαῶμεν] ἀναπαυθῶμεν Ρ, + καὶ πληροφορηθῶμεν Γ

61. ὥσπερ + γὰρ Γ Ρ

ἐντυπωθῇ] ἐντυπώσει Γ, ἐντυπωθεῖσαν Ρ

62. ἔρχεται Ρ

63. ἀπόβλητος Γ

64. ἔχῃ + τὴν Γ Ρ

ἀρρήτῳ] ἀοράτῳ Γ Ρ

65. ἄνω θησαυροὺς] θησαυροὺς τοὺς ἄνω Ρ

67. γὰρ + ἐκεῖνος Γ Ρ

φορῶν] φορέσας Γ

68. ἀλλότριον] ἐξώτερον Γ Ρ

σκότος + ἦν τῶν Γ

τὴν[1] - ἐπουράνιον 〉 Ρ

φόρων] φορούντων Γ

τοῦ ἐπουρανίου Γ

69. γὰρ - 70. ψυχαῖς] δὲ ἦν ἡ εἰκὼν τοῦ ἐπουρανίου, τὸ γὰρ Ρ

τυγχάνει 〉 Ρ

ἐντυπούμενον] ἐντετυπῶσθαι ἐν Γ, ὀφείλει ἐντετυπῶσθαι Ρ

70. τοῦ ἀρρήτου φωτὸς Ρ

ὑπάρχον] ὑπάεχων Γ, ὡς σημεῖον καὶ σίγνον τοῦ κυρίου ὀφείλει ἐντετυπῶσθαι ταῖς ἡμετέραις ψυχαῖς Ρ

71. ὁ 〉 Γ Ρ

ὅλως τοῖς ἐκεῖ μὴ χρησιμεύων ~Γ Ρ

ἐστι] ὑπάρχει Γ Ρ

72. καὶ[2] + ἡ Γ Ρ

73. φέρουσα] φοροῦσα Γ Ρ
εἰκόνα + τοῦ Χριστοῦ Γ Ρ
74. ὥσπερ] ὡς Ρ, + ψυχὴ Γ
τυγχάνει] ὑπάρχει Γ, ἐκβάλλεται Ρ
76. καὶ 〉 Γ Ρ
κόσμῳ τοῦ σώματος + ἡμῶν ἡ Γ Ρ
77. ἐπουρανίῳ καὶ αἰωνίῳ ~Ρ
78. ἄνευ γὰρ] καὶ ἄνευ Ρ
79. ἀχρείως Γ
ὑπάρχει] καθέστηκε Ρ
80. κυρίῳ + καὶ Γ Ρ
παρακαλέσαι Γ Ρ
λαβεῖν ἐντεῦθεν ~Γ Ρ
83. ἕως] ὡς Γ
πιστεύετε] πορεύεσθε Γ Ρ
84. δύνασθαι Ρ
ἐργάζεσθαι] περιπατεῖν Γ Ρ
87. γεέννῃ + δὲ Ρ
89. ἢ ὥσπερ] ὥσπερ δὲ Ρ
ἐπὰν + ἐν Γ Ρ
ἐμβληθῇ 〉 Γ Ρ
πυρί + βέβληται Γ Ρ
90. γίνεται] καθίστατα Γ Ρ
οὐθὲν Γ Ρ
χόρτος ἢ ξύλα ~Γ Ρ
91. κατεσθείη Γ
προσερχόμενα - γίγνονται] πλησιάζοντα τὸ πῦρ Ρ
γὰρ γίγνονται] γενώμενα Γ
92. ἐν τῷ πυρὶ] εἰς τὸ πῦρ Γ Ρ
ἀναστρέφουσα Γ
καὶ[2]] ἐν Γ Ρ
93. τι κακὸν] κακιστὸν Γ Ρ, + τι Ρ
94. προσεγγίζει Γ Ρ
αὐτῇ 〉 Γ Ρ
95. πετασθῇ] πέταται Γ Ρ, + ἄφρον τι καὶ Γ Ρ

96. ὡς μηδὲν] καὶ οὐδὲν Γ, καὶ οὔτε Ρ
δέδοικεν Γ
Θηρευτὰς δέδοικεν Ρ
ἢ] οὔτε Ρ
Θηρία] πάθη Γ Ρ
που ὂν 〉 Ρ
πάντων + ὧν Ρ
97. οὕτω καὶ] πόσῳ μᾶλλον Γ
ψυχὴ + ἡ Γ Ρ
98. ὑψηλὰ] ὕψει Γ, ὕψη Ρ
99. καταγελᾷ] καταπέζει Γ, καταπαίζει Ρ
ὁ μὲν] ὥσπερ ὁ Γ Ρ
τοῦ Μωυσέως Γ Ρ
100. οὗτοι δὲ] οὕτω καὶ οὗτοι Ρ
τέκνα ὄντες θεοῦ ~Γ Ρ
103. ἐν] καὶ γὰρ ἐν Γ Ρ
Ἀδάμ, + ἀπολέσας τὴν δόξαν αὐτοῦ Γ Ρ
104. παραδείσῳ + καὶ Γ Ρ
ὡς εἰπεῖν 〉 Γ Ρ
εἴρηκεν] λέγει, ποῦ εἶ Ἀδάμ Γ Ρ
105. ποῖα] οἷα Γ
ἡρετίσω] ἤρεισε Γ, ἤρεται Ρ
106. σαπρός + τί τετραυματισμένος Γ Ρ
107. καὶ[1] + γὰρ Ρ
108. αὐτὸν ὁ ποιητής] ὁ πατὴρ ὁ ποιήσας αὐτόν Γ Ρ
οἱ ἄγγελοι καὶ Ρ
αἱ 〉 Γ
109. οὐρανοὶ + καὶ Ρ
ἐπένθουν Γ Ρ
καὶ[2] - 110. πτώσει 〉 Ρ
110. αὐτοῖς 〉 Γ
βασιλέα αὐτοῖς ~Ρ
βασιλέα + αὐτῶν Γ
εἶδον] ἴδιον Γ

111. τοίνυν + οὕτως Γ, + οὗτος P

113. οὗτος] οὕτως γὰρ Γ
τραυματιστὴς P

114. κατερχόμενος] καὶ ἐρχόμενος Γ P
Ἱερουσαλὴμ + καὶ κατερχόμενος Γ P
Ἰεριχῶ + ἡμιθανῆς Γ P
γὰρ] ὁ P
καὶ^{2} > Γ P

115. ὁ^{2} > P

116. δυνηθῆναι Γ P
τοῦ Ἀδὰμ ἦν ~Γ P

117. τῇ + ἑαυτοῦ Γ P
καὶ^{2} > Γ P

119. περὶ^{1} + τοῦ P
περὶ^{2} > P

120. τοῦ] περὶ Γ
ἀλλὰ Γ P

121. τῇ + ἑαυτοῦ Γ P
σου > Γ P
γίγνου > Γ
γίγνου] τρέφον P

123. καὶ] ὥσπερ (ὡσανὰ P) γὰρ ἔλεγεν τοῖς ἀποστόλοις ὁ κύριος ἐν τῷ μνήματι Γ P
πάντες αὐτῆς (ταύτης P) τῆς ~Γ P
μετέχετε Γ P

124. πάθος πέπονθε ~Γ P
πάντες + οἱ Γ P
σπέρματος + τοῦ Γ P

125. πεπόνθαμεν] τὸ αὐτὸ πάθος πεπόνθασι Γ, πεπόνθασι P
τοιοῦτον Γ P
συμβέβηκεν] πέπονθεν Γ P
φησὶν + ὁ Γ

126. οὔτε$^{1.2}$] οὐδὲ P
127. οὕτως] τοιοῦτον Γ P
128. ἐτραυματίσθη Γ P
τῷ 〉 Γ P
θεραπευθῆναι P
αὐτό 〉 Γ P
129. μηδεὶς] ὁ οὐδεὶς Γ P + οὔτε Γ P
αὐτὸς 〉 Γ P
130. οἱ 〉 Γ P
τοῦτο 〉 Γ P
δὲ 〉 Γ P
132. προσδεξώμεθα Γ P
τοίνυν + ἀεὶ Γ P
θεὸν καὶ 〉 Γ P
133. ἐστιν 〉 Γ P
ἡμῶν + πολὺ γὰρ βούλεται ἀναπαῆναι (ἀναπαυθῆ-
ναι P) εἰς τὸν ἑαυτοῦ οἶκον, εἰς τὰ σώματα καὶ
τὰς ψυχὰς ἡμῶν Γ P
134. γὰρ ἀεὶ 〉 Γ P
135. ἀναπαῇ] ἀναπαυθῇ P
136. καὶ γὰρ] ὥσπερ P
καὶ^{2} - 137. ὀνειδίζει] ὥσπερ ἐπεὶ ἀπονειδί-
ζει Γ P
137. ὁ κύριος 〉 P
τὸν] τὸ Γ
νίψαντι Γ
πάλιν + ὁ κύριος Γ P
139. δοὺς + τὸ σῶμα Γ
140. τὸ ἑαυτοῦ σῶμα 〉 Γ
ἡμᾶς + ἐκ Γ P
143. οὐ συνηγάγετε] οὐκ ἐδέξασθαι (ἐδέξασθε P) Γ P
με + γυμνὸς ἤμην (ἤμην 〉 P) καὶ οὐκ ἠμφιάσατέ
με Γ P
145. καὶ^{2} + τὸ P

ἄμφιον + καὶ τὸ ἄμφιον P
ἐν ταῖς ψυχαῖς] αἱ ψυχαὶ P
146. ἐστιν] εἰσιν P
147. καὶ[2] 〉 P
148. καὶ[1] + ἡ κτῆσις ἡμῶν καὶ P
ζωὴ + ἡμῶν P
αὐτός + ὁ κύριος P
149. ἔνδον 〉 P
ἀναπαεῖσα] ἀναπαυθεῖσα καὶ ζήσασα P
ἐν αὐτῷ 〉 P
151. αὐτὸς - 153. πνεύματι] τῷ δὲ θεῷ ἡμῶν εἴη
δόξα P

H 31

2. δεῖ] πῶς δεῖ Γ Ι
τὸν πιστεύοντα] πιστεύειν καὶ Γ Ρ Ι
μεταλλαγῆναι] ἀλλαγὴν Γ Ι, μεταβολὴν Ρ + ἕκασ-
τος Ρ Ι
3. μεταβολῇ] μεταβολὴν Γ Ι, καὶ ἐναλλαγὴν Ρ
μεταβαλλομένης] μεταβολὴν Γ, 〉 Ρ Ι
πικρίας Γ Ρ Ι
γλυκύτητα Γ Ρ Ι
4. καὶ 〉 Ρ
μνημονεύσας Γ Ρ
τυφλὸς + ἐμβλέψας Γ, + ἀναβλόψας Ι Ρ
ἰάθη + καὶ Ρ
τοῦ - 5. ἔτυχε] ὁμοίως Γ Ρ Ι
5. λεόντων + τε Ρ
ἡμερώθη + καὶ Ρ
πυρὸς φύσις ἐνεκρώθη 〉 Γ
φύσις[2]] ἐνέργεια Ρ
6. ἐγλυκάνθη + μνήμη θανάτου ἐν δικαστηρίῳ τῶν
θρηνοῦντων νῦν παθῶν καὶ πόνων καὶ θλίψεων τῶν
ἐπηγγελμένων ἀγαθῶν μνήμη Γ Ι, + ἔχειν τὲ μνή-
μην θανάτου καὶ τῶν νῦν θρηνῶν καὶ παθῶν καὶ
πόνων καὶ θλίψεων τὰς ἐπαναστάσεις τῇ μνήμῃ
τῶν ἐπηγγελμένων ἀγαθῶν γενναίως φέρειν καὶ Γ Ρ
ἄκρον Γ Ρ Ι
κάλλος Γ Ρ Ι
ἐστι 〉 Γ Ι
7. συνάγειν Γ Ρ Ι

διαλογισμοὺς Γ P I
8. καθορᾶν] καθ' ὥραν P
9. ὡς + μήτηρ Γ P I
ῥεμβόμενα + εἰς τὰς γειτονίας Γ P I
10. ἀπὸ] ὑπὸ Γ P I
σκορπιζομένους Γ P I
λογισμοὺς + καὶ P
εἰσαγαγέτω P
11. σώματος] στόματος Γ
νηστείᾳ] πίστει Γ P I
12. ἀδήλου - 13. ὄντος ⟩ Γ P I
13. ἐλπιζέτω + ὡς ὁ Γ P I
πλέον ἔτι] πλέων τῆς ἐμπορίας τὸ κέρδος καίπερ ἀδήλου ὄντος τοῦ μέλλοντος P
ἔτι] ἐλπίζει ἀδήλου ὄντος τοῦ μέλλοντος Γ I
καλῶς ἐπελπίζουσα] ἐπελπίζων Γ I, λόγῳ ἑαυτὸν ἐμπιστεύων P
14. καὶ[1] ⟩ Γ P I
πῶς ⟩ Γ P I
μνημονευέτω Ῥαὰβ ἡ (τῆς P) πόρνη (πόρνης P) Γ P I
μετὰ + τῶν Γ P I
ἀλλοφύλων οὖσα ~Γ P I
15. κατηξιώθη] ἠριθμήθη P
Ἰσραηλῖται + ἐν τῇ ἐρήμῳ ὄντες Γ P I
16. ἐστράφησαν Γ P I
οὖν ⟩ Γ P I
τὴν ⟩ Γ P I
μετὰ] συνοικία Γ P I
17. οἴκησις ⟩ Γ P I
τῆς μερίδος Γ I
18. βλάφει + ἡ Γ P I
ἐν ⟩ Γ P I

19. ἀπεκδεχομένους Γ Ρ Ι
20. ποιήσει Γ Ι
21. ἀρέμβαστον + καὶ Γ Ρ Ι
φησιν + αὐτῷ Ρ
22. ἐγώ φησιν ~Γ Ι
πορεύσομαι Γ
ὁμαλιῶ + ἐγώ φησιν καὶ Γ Ι, + ἐγὼ καὶ Ρ
23. συνθλάσω, καὶ 〉 Γ Ρ Ι
φησὶ 〉 Γ Ρ Ι
25. ἐν τῇ καρδίᾳ σου 〉 Γ Ρ Ι
τὸ 〉 Ρ
ἰσχυρόν + οὐ γὰρ ἰσχύσει Ρ

26 - 44 = B 4, I, 49, 4 - 49, 31

46. παθητός] παθῶν Γ Ρ Ι
ἀπαθής + δοῦλος, δεσπότης Γ Ρ Ι
οἶνος] ὕπνος Γ Ρ Ι
ὕδωρ 〉 Ρ
ζῶν] ζωή Γ Ρ Ι, + ὕδωρ Ι
47. ὅπλον τὰ Γ Ρ Ι
Χριστός 〉 Γ Ρ Ι
48. ἑαυτὸ] ἑαυτὸν Γ, ἑαυτῷ Ι
τημελῆσαι] ἐπιμελῆσαι Γ Ι, ἐπιμεληθῆναι Ρ
49. πρὸς] εἰς Γ Ρ Ι
τοῦτο ἀναλάβηται] ἡ μήτηρ, ἀναλάβῃ καὶ θάλψει (θάλψῃ Ρ) αὐτὸ Γ Ρ Ι
50. ἐλπίζουσιν ἀεὶ μόνῳ τῷ κυρίῳ Γ Ρ Ι
51. αὐτῷ 〉 Γ Ι
φύγεται τὸ κλῆμα ~Γ Ρ Ι
52. ἄνευ + τοῦ Γ Ρ Ι
Χριστοῦ] θεοῦ Ι
θέλων + ἢ Ρ
53. ἔστιν 〉 Γ Ρ Ι

ὁδοῦ Γ Ρ Ι
διερχόμενος Ι
54. ὡς ὁ] καὶ Ρ
55. οὖν] τοίνυν Ρ
οὖν > Γ Ι
ποιήσωμεν + αὐτὸ Γ Ι
56. ἐπάνω] ἐπ'αὐτῷ Γ Ρ Ι
ἐνθύμησιν + καὶ Ρ
57. καὶ[1]] αὐτοῦ Γ Ρ Ι
τὸ[1]] τότε Γ Ι, τό τε Ρ
58. αἵτινες] οἵτινες Ρ Ι
60. ἐρχόμενον ἀνθρώπου ~Γ Ρ Ι
ὥστε] ὡς Γ Ρ Ι
63. ἵνα] καὶ Γ Ρ Ι Γ+
ἵνα τὴν] καὶ τῇ Γ+
διαιτωμένην - 64. καὶ] διαιτωμένῃ καὶ τὰ ἔργα τῆς νυκτὸς ἐπιτελούσῃ ἔν τε ταῖς πονηρίαις τῶν παθῶν ἔλαμψεν εἰς αὐτὴν τὴν ἁγίαν τοῦ φωτὸς αὐτοῦ ἡμέραν, ἵνα Γ+
ψυχὴν > Γ Ρ Ι Γ+ Φ
64. ὁ κύριος > Γ Ρ Ι
ἐπιλάμψῃ] ἐπέλαμψεν Γ Ι, ἐπιλάμψει Ρ
καὶ] ἵνα Γ Ρ Ι
65. ἐκείνη > Γ Ρ Ι Γ+
ζωῆς] τοῦ φωτὸς Γ+
ἔργα + τῆς ζωῆς Γ+
66. ἐπιτελοῦσα + ἵν'οὕτως ἀξία τῆς βασιλείας τῶν οὐρανῶν εὑρεθῇ Γ+ Φ
τρέφεται + ἡ Γ Ρ Ι
ἐσθίει] ἔστιν Γ+ Ρ + ἔνθα καὶ προσκολλᾶται Γ+
67. αἰῶνος τούτου] τοῦ πνεύματος τοῦ κόσμου Γ+
ἤτοι] ἢ Γ+
ὁ θεὸς ἐκεῖ] ὅθεν Γ Ρ Γ+ Φ
τρέφεται + ἐκεῖ Γ Ρ Ι, + ἐκεῖθεν Γ+

68. καὶ[1] ⟩ Γ Ρ Ι
καὶ[2] - ἀναστρέφεται ⟩ Γ+
καὶ[2] ἀναπαύεται ⟩ Γ Ρ Ι+
69. ἕκαστος ⟩ Γ Ρ Ι
βούλεται] ὀφείλει Ρ
δοκιμάσει] δοκιμάσαι Γ+, + ἕκαστος Γ Ρ Ι
ἑαυτὸν] καὶ ἐπεγνῶναι Ρ Ι, + καὶ ἐπιγνῶναι Γ Γ+
καὶ ποῦ ζῇ ⟩ Γ+
70. οἷς + ἡ καρδίᾳ Γ+
νοήσας] συνήσας Γ+ Φ
ἀκριβῆ ⟩ Γ+ Φ
71. πρὸς] ἐπὶ Γ Ρ Ι Γ+
τελείως ⟩ Γ+
ἐπιδῷ] ἐκδῷ Γ Γ+ Ρ
λοιπὸν - 74. κοσμοκράτορες] πορευόμενος ἕκαστος εἰς τὴν προσευχὴν καταμανθανέτω τοὺς λογισμοὺς τῆς καρδίας καὶ τὰ ἐνεργήματα τῆς διανοίας πόθεν ἐστίν, ἐκ τοῦ πνεύματος τοῦ κόσμου ἢ ἐκ τοῦ πνεύματος τοῦ θεοῦ, καὶ τίνες προσφέρουσι τῇ καρδίᾳ τροφάς, οἱ ἄνωθεν ἢ οἱ ἐκ Γ+
λοιπὸν προσευχόμενος] πορευόμενος οὖν Ρ
73. ταῖς ἐνεργείαις] τὰ ἐνεργήματα τῆς διανοίας Γ+ Φ
εἰσίν] ἐστίν Γ+
τίς προσφέρει] τίνες προσφέρουσιν Γ Ρ Ι Γ+
74. ὁ κύριος] οἱ θεῖοι Γ Ρ Ι, οἱ ἄνωθεν Γ+
κοσμοκράτορες] κοσμικοὶ Γ Ρ Ι
75. κύριον] θεὸν Γ
ἐν πόνῳ] μετὰ πολλοῦ πόνου Γ+
76. καὶ ποθῷ ⟩ Γ+
τροφὴν - Χριστοῦ] ἐκείνην τὴν ἐπουράνιον τροφὴν μόνον τρέφεσθαι τὴν καρδίαν Γ+
καὶ[3] - Χριστοῦ] κἀκεῖ (καὶ Ρ+) ἐργάζεται (ἐργάζηται Ρ+) κἀκεῖ (καὶ Ρ+) διαιτᾶται ὅλη ἐξ (δι'

P+) ὅλου τῷ οὐρανίῳ τοῦ πνεύματος φρονήματι, ὅθεν καὶ χωρηγεῖται Γ+ P+ Φ

77. καὶ > Γ P

78. οὐκ - 90. πνεύματι] τῆς τοιαύτης κληρονομίας ἀξία καταστῇ P+
καὶ > Γ P I
ἰδοὺ > P
τῶν γὰρ ~P

79. εὐσεβείας > Γ P I
μόνον] μόνην
ἐχόντων + ἄνευ δυνάμεως Γ P I
ἰδοὺ] ἐκ τούτου γάρ ἐστιν P, + γὰρ Γ I

80. καὶ > Γ P I
αὐτῶν > Γ P I

81. καὶ[1] > Γ P I
γῆς + καὶ P

82. λογισμῶν + τῆς καρδίας καὶ κατὰ τὸ ὁρωμένον, ὡς κάλαμος ὑπὸ ἀνέμου σαλεύονται καί εἰσι μὲν P
ὅσαι ὧραι] ὡς ὄρη Γ I, > P

83. σαλευόμενοι > P
μόνον P I, μόνων Γ
νοήματι] ὀνόματι Γ P I

84. οἱ τοιοῦτοι > P
κόσμου + ἢ Γ P I

86. καὶ > Γ P I
ἐμπεριέχονται > Γ P I

87. μὴ] οὐ Γ P I
καθώς] ὡς Γ P I

88. ἡμῶν P I

89. διανοίας] καρδίας Γ P I

90. δόξα - πνεύματι] ὡς γέγραπται Γ I
δόξα - πνεύματι > P

91. αἰῶνας + τῶν αἰώνων I

Η 33

δεῖ ἡμᾶς μὴ κατὰ
ἔθος σωματικὸν μήτε κραυ-
γῆς ἔθει μήτε συνηθείᾳ
σιωπῆς μήτε κλίσεως γονά-
των προσεύχεσθαι, ἀλλὰ νη-
φαλέως τῷ νῷ προσέχοντες
προσδοκᾶν τὸν θεόν, πότε
ἐπιστῇ καὶ ἐπισκέψεται διὰ
πασῶν τῶν ἐξόδων τὴν ψυχὴν
καὶ τῶν τρίβων αὐτῆς καὶ
αἰσθητηρίων. καὶ οὕτως ἡνί-
κα χρὴ σιωπᾶν καὶ ἡνίκα
χρὴ βοᾶν καὶ ἐν κραυγῇ
προσεύχεσθαι, μόνον ὁ νοῦς
ἐρρωμένος ᾖ πρὸς τὸν θεόν.
ὥσπερ γὰρ τὸ σῶμα ὅταν ἐρ-
γάζηταί τι, ὅλον δι' ὅλου
ἀπασχολεῖται, ἐγκείμενον
τῷ ἔργῳ, καὶ πάντα αὐτοῦ
τὰ μέλη ἀλλήλοις βοηθεῖ,
οὕτω καὶ ἡ ψυχὴ ὅλη δι'
ὅλου ἀποδεδόσθω εἰς τὴν
πρὸς κύριον αἴτησιν·καὶ
ἀγάπην, μὴ ῥεμβομένη καὶ
περιφερομένη τοῖς λογισ-
μοῖς, ἀλλ' ὅση δύναμις
σπουδάζουσα καὶ συνάγου-

Γ 40

πῶς δεῖ ἡμᾶς μὴ κατὰ
τὸ ἔθος ἁπλῶς σωματικῶς
μηδὲ συνηθείᾳ κραυγῆς μη-
δὲ συνηθείᾳ σιγῆς μηδὲ
συνηθείᾳ γονάτων κεχρῆσ-
θαι, ἀλλὰ νηφαλέως ἀεὶ
τῷ νῷ προσδοκῶντας τὸν θε-
όν, πότε ἐπιστῇ καὶ πόθεν,
διὰ πόσων δι' ἐξόδων τῆς
ψυχῆς καὶ τῶν τρίβων·καὶ
λοιπὸν ὡς τύχοι εἴτε χρεία
κραυγῆς εἴτε χρεία ἡσυ-
χίας. ἡσυχίαν μόνον τῷ νῷ
νηφαλέως προσέχωμεν. ὥσπερ
γὰρ τὸ σῶμα ὅπου ἂν ἐργά-
ζηται, ὅλον εἰς τὸ ἔργον
ἐστὶ καὶ ἀλλήλοις τὰ μέλη
βοηθεῖ, οὕτως καὶ ἡ ψυχὴ
εἰς τὴν εὐχὴν μὴ ἤτω ῥεμ-
βομένη τοῖς λογισμοῖς, ἀλλ'
ὅσον δύναται βιάζεσθαι ἑαυ-
τὴν συνάγειν πανταχόθεν,
ἵνα ἡ ψυχὴ καὶ οἱ λογισ-
μοὶ αὐτῆς ἐν τῇ εὐχῇ καὶ
ἐν τῇ προσδοκίᾳ τοῦ θεοῦ
ὦσιν,

Β 17, Ι, 190, 9 - 24

δεῖ ἡμᾶς μὴ κατὰ τὸ ἔθος σωματικῶς εὔχεσθαι μηδὲ συνηθείᾳ κραυγῆς μηδὲ συνηθείᾳ γονάτων, ἀλλὰ νηφαλίως ἀεὶ τῷ νῷ προσδοκῶντας τὸν θεόν, πότε ἐπιστῇ καὶ ἐπισκέψεται καὶ ἐλεήσει τὴν ἐν ἀληθείᾳ προσδοκῶσαν αὐτὸν ψυχήν, καὶ λοιπὸν εἴτε χρεία κραυγῆς εἴτε χρεία ἡσυχίας τῷ νῷ νηφαλίως προσέχωμεν. ὥσπερ γὰρ τὸ σῶμα ὅπου ἐὰν ἐργάζηται, ὅλον εἰς τὸ ἔργον ἐστὶ καὶ ἀλλήλοις τὰ μέλη βοηθεῖ, οὕτω καὶ ἡ ψυχὴ εἰς τὴν εὐχὴν μὴ ἤτω ῥεμβομένη τοῖς λογισμοῖς, ἀλλ᾽ ὅσον δύναται βιαζέσθω ἑαυτὴν συναγαγεῖν πανταχόθεν, ἵνα ἡ ψυχὴ καὶ οἱ λογισμοὶ αὐτῆς ἐν τῇ εὐχῇ καὶ ἐν τῇ προσδοκίᾳ τοῦ θεοῦ ὦσιν,

Β 29, Ι, 260, 12 - 14

ἐξαιρέτως δὲ τὴν εὐχὴν ἡμῶν ἐν πίστει καὶ φόβῳ θεοῦ καταρτίζειν σπουδάσωμεν, μὴ σωματικοῖς ἔθεσιν ἐμπληροφορούμενοι ἢ συνηθείᾳ κραυγῆς ἢ συνηθείᾳ σιωπῆς ἢ συνηθείᾳ γονατων.

Β 29, Ι, 261, 1 - 3

διὰ πασῶν διεξόδων καὶ τρίβων τῶν λογισμῶν τῆς ψυχῆς τὴν ἀπεκδοχὴν τοῦ πνεύματος ἔχοντες, προορῶντες τὸν κύριον διὰ πίστεως καὶ φόβου ἐνώπιον ἡμῶν διαπαντός, οὐ τόπῳ σωματικῶς ἔξωθεν ἢ κάτω ἢ ἄνω ἀνατυποῦντες ἐν τῇ διανοίᾳ ὡς ἐν τόπῳ τινὶ τοῦ θεοῦ τυγχάνοντος καὶ ἐμπεριγράφου ὄντος

Β Β 29, Ι, 261, 22 - 23

οὐκ ὀφείλει σωματικοῖς ἔθεσιν, ὡς προείρηται, ἢ συνηθείᾳ φωνῆς ἢ σιωπῆς ἢ γονάτων κλίσει {ἐν τῇ εὐχῇ} πληροφορεῖσθαι,

Η 33	Γ 40
σα ἑαυτὴν σὺν πᾶσι τοῖς λογισμοῖς καὶ τῇ προσδοκίᾳ προσανακειμένη Χριστοῦ.	
καὶ οὕτως αὐτὸς ἐπιλάμψει, ἀληθινὴν διδάσκων αἴτησιν, διδοὺς εὐχὴν καθαρὰν πνευματικήν, θεοῦ ἀξίαν, καὶ τὴν "ἐν πνεύματι καὶ ἀληθείᾳ" προσκύνησιν. ὥσπερ δὲ ὁ ἐμπορίας τέχνην ἐπανελόμενος οὐ μονότροπον ἔχει τοῦ κέρδους τὴν ἐπίνοιαν, ἀλλὰ πάντοθεν αὔξειν καὶ πολυπλασιάζειν τὸ κέρδος ἐπείγεται ἀπὸ ταύτης ἐφ' ἑτέραν μετιὼν ἐπίνοιαν καὶ ἐντεῦθεν πρὸς ἕτερον τρέχων πόρον, καὶ ἀπὸ τοῦ μηδὲν ὀνήσαντος ἀεὶ ἀποπηδῶν ἐπὶ τὸ κερδαλεώτερον τρέχει, οὕτως καὶ ἡμεῖς τὴν ψυχὴν ἡμῶν ποικίλως καὶ ἐντέχνως εὐτρεπίσωμεν, ὅπως κερδήσωμεν τὸ ἀληθινὸν καὶ μέγα κέρδος, τὸν θεὸν τὸν διδάσκοντα ἡμᾶς ἐξ ἀληθείας προσεύχεσθαι. οὕτως γὰρ ἐπαναπαύσεται ὁ κύριος τῇ ἀγαθῇ προαιρέσει, θρόνον δόξης αὐτὴν ἐργαζόμενος, ἐπικαθήμενός τε καὶ ἐπανα-	αἰτουμένη ἵνα αὐτῇ ἐπιστῇ ὁ ἀληθῶς διδάσκων καὶ διδοὺς εὐχὴν καθαρὰν καὶ θεοῦ ἀξίαν, ἵνα λοιπὸν προσκυνήσῃ ἡ ψυχὴ ἐν πνεύματι ἁγίῳ· καὶ ὥσπερ ὁ πραγματευόμενος οὐ διὰ μιᾶς ὁδοῦ οἶδε πορίζειν κέρδος, ἀλλὰ πανταχόθεν θεωρεῖ· ἐὰν τύχῃ ἔνθεν ἀποτυχεῖν αὐτόν, ἑτέρῳ ἐπιβάλλει μόνον σκοπὸς αὐτῷ ἐστι τοῦ κερδῆσαι – οὕτω καὶ ἡμεῖς τὴν εὐχὴν ἡμῶν ποικίλως καὶ ἐντρεχῶς καταρτίσωμεν, ἵνα κερδήσωμεν τὸ μέγα καὶ ἀληθινὸν κέρδος, τὸν θεὸν τὸν διδάσκοντα ἡμᾶς πᾶσαν ἀγαθωσύνην ἐξ ἀληθείας, ἵνα ἀναπαῇ ὁ κύριος καθίσας τῷ θρόνῳ τῆς ψυχῆς ἡμῶν, ὡς ἐν τῷ Ἐζεκιὴλ γέγραπται περὶ τῶν χερουβίμ, τῶν ζῴων τεσσάρων· ὅτι ὅπου ἐκάθητο ὁ θεὸς ὀφθαλμοὺς ἔγεμον τὰ βαστάζοντα τὸν θεὸν καὶ βασtασόμενα ὑπ' αὐτοῦ· δόξα δὲ τῷ βαστάζοντι αὐτήν, οὕτω καὶ

Β 17	Β 29
	Β 29, Ι, 262, 25
αἰτουμένη ἵνα αὐ-	ὥσπερ γὰρ ὁ ἔμπορος
τῇ ἐπιστῇ ὁ ἀληθῶς δι-	τὴν ἐμπορίαν αὐτοῦ πραγ-
δάσκων καὶ διδοὺς εὐχὴν	ματευόμενος οὐ διὰ μιᾶς
καθαρὰν καὶ θεοῦ ἀξίαν,	ὁδοῦ οὐδὲ διὰ μιᾶς προ-
ἵνα λοιπὸν προσκυνήσῃ	φάσεως οἶδε πορίζειν τὸ
ἡ ψυχὴ ἐν πνεύματι ἁγίῳ.	κέρδος τῆς ἐμπορίας αὐ-
καὶ ὥσπερ ὁ πραγματευό-	τοῦ, ἀλλ' ἐντρεχῶς καὶ
μενος οὐ διὰ μιᾶς ὁδοῦ	νηφόντως πανταχόθεν περι-
οἶδε πορίζειν κέρδος,	σκοπεῖ, ἐὰν τύχῃ αὐτὸν
ἀλλὰ πανταχόθεν θεω-	ἐντεῦθεν ἀποτυγχάνειν τοῦ
ρεῖ, καὶ ἐὰν τύχῃ ἐν-	κέρδους, ἑτέρῳ πράγματι
τεῦθεν ἀποτυχεῖν αὐτόν,	ἐπιβάλλεται - ὅλος γὰρ ὁ
ἑτέρῳ ἐπιβάλλει - μό-	σκοπὸς αὐτῷ ἐστι τοῦ κερ-
νον γὰρ σκοπὸς αὐτῷ	δῆσαι καὶ πολυπλασιάσαι
ἐστι τὸ κερδῆσαι -,	τὴν ἐμπορίαν αὐτοῦ -, οὕ-
οὕτω καὶ ἡμεῖς τὴν εὐ-	τω καὶ ἡμεῖς τὴν εὐχὴν τῆς
χὴν ἡμῶν ποικίλως καὶ	προσδοκίας ἡμῶν, ὅσον ἀν-
ἐντρεχῶς καταρτίσωμεν,	θρωπίνῃ ἰσχύι καὶ συνέσει
τὸ μέγα καὶ ἀληθινὸν	δυνατόν, ποικίλως καὶ ἐν-
κέρδος, διὰ τὸν θεὸν	τρεχῶς ἐν ὀρθῷ καὶ συνηγ-
τὸν διδάσκοντα ἡμᾶς	μένῳ νῷ καὶ νηφούσῃ δια-
πᾶσαν ἀγαθωσύνην ἐξ	νοίᾳ καταρτίσωμεν, ἵνα
ἀληθείας, ἵνα ἀναπαυθῇ	κερδῆσαι δυνηθῶμεν τὸ
ὁ κύριος ὁ καθίσας ἐν	ἀληθινὸν καὶ μέγα κέρδος,
τῷ θρόνῳ τῆς ψυχῆς ἡ-	αὐτὸν τὸν κύριον ἡμῶν,
μῶν.	τὸν διδάσκοντα ἡμᾶς πᾶ-
	σαν ἀγαθωσύνην ἀρετῶν
	καὶ ἀληθείας ἐνέργειαν,
	τὸν εἰπόντα πρὸς τοὺς

Η 33

παυόμενος ἐπ' αὐτήν. οὕτως γὰρ παρὰ 'Ιεζεκιὴλ τοῦ προφήτου ἠκούσαμεν περὶ τῶν πνευματικῶν ζῴων τῶν ὑπεζευγμένων τῷ δεσποτικῷ ἅρματι·ὁλόφθαλμα γὰρ ἡμῖν παριστᾷ ταῦτα, ὥσπερ ἐστὶν ἡ ψυχὴ ἡ βαστάζουσα τὸν θεόν, μᾶλλον δὲ βασταζομένη ὑπὸ τοῦ θεοῦ·γίγνεται γὰρ ὅλη ὀφθαλμός.

καὶ ὃν τρόπον οἶκος, τὸν δεσπότην παρόντα ἔχων, πάσης γέμει εὐκοσμίας καὶ ὡραιότητος καὶ εὐπρεπείας, οὕτω καὶ ψυχὴ ἡ ἔχουσα τὸν δεσπότην αὐτῆς πρὸς ἑαυτὴν καὶ ἐν αὐτῇ καταμένοντα πάσης ὡραιότητος γέμει·τὸν γὰρ κύριον σὺν τοῖς πνευματικοῖς αὐτοῦ θησαυροῖς ἔνοικον ἔχει καὶ ἡνίοχον. οὐαὶ δὲ οἰκίᾳ, ἧς ὁ δεσπότης ἀποδημεῖ καὶ ὁ κύριος οὐ πάρεστιν, ὅτι ἠρήμωται κατεσκαμμένη, γέμουσα πάσης ἀκαθαρσίας καὶ ἀκαταστασίας·ἐκεῖ "σειρῆνες καὶ δαιμόνια" κατὰ τὸν προφήτην οἰκοῦσιν·ἐν γὰρ τῇ ἠρημωμένῃ οἰκίᾳ αἴλου-

Γ 40

ἡ ψυχὴ βαστάζουσα τὸν θεόν· μᾶλλον δὲ βασταζομένη ὑπὸ τοῦ θεοῦ·καὶ θρόνος αὐτῷ οὖσα·ὅλη ὀφθαλμὸς γίνεται· καὶ ὅλη ὄμμα·διὰ τὸ τὸν θεὸν ἐπιβεβηκέναι ἐκεῖ.

καὶ ὥσπερ οἶκος ἔχων τὸν δεσπότην αὐτοῦ ἐν αὐτῷ κατοικοῦντα καὶ πάντα τὰ ἀγαθὰ αὐτοῦ ἐν τῷ οἴκῳ καὶ οἱ θησαυροὶ αὐτοῦ, οὕτω καὶ ἡ οἰκία τῆς ψυχῆς ἡ ἔχουσα τὸν δεσπότην αὐτῆς ἐν αὐτῇ, πάντα τὰ ἀγαθὰ καὶ οἱ θησαυροὶ τοῦ δεσπότου ἐν τῇ οἰκίᾳ εἰσὶν μετ' αὐτοῦ. οὐαὶ οἰκίᾳ τῇ μὴ ἐχούσῃ τὸν δεσπότην αὐτῆς ἐν αὐτῃ κατοικοῦντα, ἀλλὰ οὖσα ἐρημωμένη, ὅτι κοπριῶν ἐστιν ἀποθήκη·καὶ ἐκεῖ "ἴβεις καὶ ἐχῖνοι καὶ κόρακες" κατοικοῦσιν καὶ σειρῆνες καὶ δαίμονες καὶ ὀνοκένταυροι κατὰ τὸν προφήτην. ἐν τῇ

Β 29

τοιαύτην πίστιν καὶ σπουδὴν ἀναλαμβάνοντας·

Β 29, I, 264, 20 - 36

οὐαὶ δὲ οἰκίᾳ τῇ μὴ ἐχούσῃ τὸν δεσπότην αὐτῆς ἐν αὐτῇ κατοικοῦντα. ὥσπερ γὰρ ἡ ἐπίγειος οἰκία μὴ ἔχουσα τὸν ἴδιον δεσπότην κατοικοῦντα ἐν αὐτῇ ἔρημος καὶ οἰκόπεδος διὰ τὴν ἀμέλειαν καθίσταται, καὶ ἐκεῖ κύνες καὶ χοῖροι εἰσίασι καὶ ἐξίασι, καὶ ἐκεῖ αἴλουροι καὶ ἴβεις καὶ κόρακες ἐγκατοικοῦσιν, ἐκεῖ κοπριῶν γίνεται ἀποθήκη καὶ πάσης ἀκαθαρσίας καὶ δυσωδίας ἡ οἰκία ἐκείνη πληροῦται·οὕτως οὐαὶ ψυχῇ ἐκείνῃ τῇ μὴ ἐγερθείσῃ διὰ τῆς χάριτος καὶ τῆς θείας δυνάμεως ἐκ τῆς πτώσεως καὶ πλάνης τῶν παθῶν τῆς κακίας καὶ μὴ ἐχούσῃ τὸν βασιλέα αὐτῆς Χριστὸν κατοικοῦντα ἐν τῷ οἴκῳ τοῦ σώματος αὐτῆς, ὅτι ἐκεῖ τῶν ὄντως πονηρῶν κοπριῶν (τουτέστι τῶν δυσωδεστά-

Η 33

ροι καὶ κύνες καὶ πᾶσα ἀκαθαρσία ἐστίν. οὐαὶ ψυχῇ τῇ μὴ ἀνισταμένῃ ἐκ τῆς χαλεπῆς πτώσεως αὐτῆς καὶ ἀπολαμβανούσῃ τὸν καὸν οἰκοδεσπότην Χριστὸν ἔνοικον, ἀλλὰ μενούσῃ ἐν τῇ ἀκαθαρσίᾳ αὐτῆς, καὶ ἔνδον αὐτῆς ἐχούσῃ τοὺς πείθοντας αὐτὴν καὶ ἀναγκάζοντας ἔχθραν ἔχειν πρὸς τὸν ἑαυτῆς νυμφίον καὶ βουλομένους φθείρειν τὰ νοήματα αὐτῆς ἀπὸ τοῦ Χριστοῦ.

Γ 40

οἰκοπέδῳ οἰκίᾳ ἐκεῖ ὀρχήσονται· καὶ αἴλουροι καὶ κύνες καὶ χοῖροι καὶ πᾶσα ἀκαθαρσία· οὕτω καὶ οὐαὶ τῇ ψυχῇ ἐκείνῃ τῇ μὴ ἐγερθείσῃ ἐκ τῆς πτώσεως αὐτῆς καὶ ἔχουσῃ τὸν δεσπότην αὐτῆς Χριστὸν ἐν αὐτῇ κατοικοῦντα, ἀλλὰ οὔσῃ ἐν τῇ ἀκαθαρσίᾳ τῆς ἁμαρτίας αὐτῆς ὅτι ἐκεῖ τῶν ἀληθινῶν κοπριῶν, τῶν δυσωδεστάτων ἁμαρτημάτων, ἐστὶν ἀποθήκη καὶ ἐκεῖ οἱ ἀληθινοὶ ἐχῖνοι καὶ οἱ ἀληθινοὶ ἴβεις καὶ κόρακες καὶ ὀνοκένταυροι κατοικοῦσιν, καὶ πᾶσα ἀκαρθασία ἐστιν ἐκεῖ. ἀνεῳγμένων τῶν θυρῶν τῆς ψυχῆς εἰσίασιν καὶ ἐξίασιν πάντα τὰ θηρία καὶ ἑρπετὰ ἀληθινὰ τοῦ πονηροῦ πνεύματος. τοιαύτη δὲ πᾶσα ψυχή ἐστιν ἡ μὴ ἔχουσα τὸν δεσπότην αὐτῆς Χριστὸν ἐν αὐτῇ κατοικοῦντα ἐν πάσῃ διαθέσει καὶ γνώσει. οὐαὶ ψυχῇ τῇ μὴ παρακαλούσῃ καὶ δεομένῃ, ἵνα ἐλθὼν ὁ Χριστὸς οἰκήσῃ ἐν αὐτῇ· καὶ καθαρίσῃ αὐτὴν ἀπὸ τῆς

Β 29

των ἁμαρτημάτων) ἐστὶν
ἀποθήκη, ἐκεῖ ἐχῖνοι καὶ
ἴβεις καὶ κόρακες, τὰ πνεύ-
ματα τῆς πονηρίας, δι᾽ ὧν
τὰ πάθη τῆς κακίας ἐν·ερ-
γούμενα ἐγκατοικοῦσιν ἀπὸ
τῆς τοῦ Ἀδὰμ παραβάσεως
τὴν νομὴν εἰς τὴν ψυχὴν
ἔχοντα, "ἐκεῖ σειρῆνες"
"καὶ ὀνοκένταυροι" "καὶ
δαιμόνια" κατὰ τὸ λόγιον
τοῦ προφήτου "ὀρχήσονται",
δι᾽ ὧν οἱ πονηροὶ καὶ αἰσ-
χροῖ καὶ μάταιοι καὶ γή-
ινοι διαλογισμοὶ τῆς καρ-
δίας ἡμῶν ἐνεργούμενοι
βρύουσι καὶ ἀνεῳγμένων
τῶν θυρῶν τῆς ψυχῆς εἰσ-
ίασι καὶ ἐξίασι τὰ πονηρὰ
καὶ ἄγρια θηρία καὶ ἑρπε-
τά, πνεύματα τῆς πονηρίας.

B 17

B 17, I, 190, 25 - 31

ὥσπερ γὰρ ἡ ῥάβδος
Ἀαρὼν ἡ βλαστήσασα ἀπέ-
θετο τὸν ὀνειδισμὸν αὐτοῦ,
οὕτω καὶ ἡ ψυχή, ὅταν
βλαστήσῃ τὸ ἄνθος τοῦ ἁγί-
ου πνεύματος, ἀποτίθεται
τὸν ὀνειδισμὸν τῶν ἐχθρῶν
αὐτῆς. καὶ ὥσπερ τινὰ τῶν
πετεινῶν ἐπὰν ἴδωσιν ἐν
νυκτὶ πυρὸς αὐγήν, φέρου-
σιν ἑαυτὰ κατὰ τοῦ πυρὸς
καὶ ἀπόλλυνται, οὕτω καὶ
ὁ ἄνθρωπος ἐπὶ τὰ χείρω
πλανώμενος ἡδέως καὶ ἐν
σκότει ἐρχόμενος ῥίπτει
ἑαυτὸν εἰς τὰ κακά, καὶ
οὕτω λοιπὸν ὑπὸ τοῦ πυρὸς
τοῦ σκότους ἀπόλλυται.

Γ 40

ἀκαθαρσίας αὐτῆς καὶ φυ-
λάξῃ αὐτὴν ἀπὸ τῶν θηρί-
ων καὶ ἑρπετῶν τῶν πνευ-
ματικῶν τῆς πονηρίας· καὶ
πάλιν ὥσπερ ἐν τῇ γῇ φω-
λεύουσιν πάντα τὰ ἰοβόλα
καὶ ἑρπετά, οὕτω καὶ ἐν
τῇ γῃ τῆς ψυχῆς ἀπὸ τῆς
παραβάσεως Ἀδὰμ πάντα
τὰ ἰοβόλα θηρία τὰ ἀλη-
θινὰ καὶ ἑρπετὰ ἐμφωλεύ-
ουσιν, ἕως οὗ ὁ Χριστὸς
ὁ τῆς δικαιοσύνης ἥλιος
ἐξαγάγῃ αὐτὰ ἀπὸ τῶν ψυ-
χῶν ἡμῶν· ὥσπερ γὰρ ἡ ῥάβ-
δος Ἀαρὼν βλαστήσασα τὸ
ἄνθος ἀπέθετο τὸν ὀνειδισ-
μὸν αὐτοῦ, οὕτω καὶ ἡ ψυ-
χή, ὅταν βλαστήσῃ τὸ ἄν-
θος τοῦ πνεύματος, ἀποτί-
θεται τὸν ὀνειδισμὸν τῶν
ἐχθρῶν αὐτῆς. καὶ ὥσπερ
τινὰ τῶν πετεινῶν, ἐπὰν
ἴδῃ ἐν νυκτὶ πυρὸς αὐγήν·
φέρουσιν ἑαυτὰ κατὰ τοῦ
πυρὸς καὶ ἀπόλλυνται, οὕ-
τω καὶ ὁ ἄνθρωπος ἐπὶ τὰ
χείρονα πλανώμενος ἡδέως
καὶ ἐν σκότει ἐρχόμενος
ἐρρίπτει ἑαυτὸν ἐπ' αὐτὰ
καὶ οὕτως λοιπὸν ὑπὸ τοῦ
πυρὸς ἀπόλλυται.

40. τοὺς + νουθετοῦντας καὶ Εφ
αὐτὴν καὶ ἀναγκάζοντας > Εφ
ἑαυτῆς > Εφ
41. νυμφίου + αὐτῆς Εφ
βουλομένους φθείρειν > Εφ
αὐτῆς + βουλομένους φθεῖραι Εφ
42. ὅταν δὲ] καὶ ὅταν Εφ Φ
ἑαυτὴν + ἡ ψυχή Εφ Φ
κατὰ δύναμιν Φ] ἐν αὐτῇ Εφ
43. καὶ[3] > Εφ
44. καθὼς Φ] οὕτως γὰρ καὶ Εφ
παντί] τάχει Εφ
45. ὡς ὑπέσχετο] καὶ Εφ
46. καὶ ἀμώμον καὶ Φ > Εφ
αὐτὸς > Εφ
47. αὐτὴν > Εφ
πιστεύεις + αὐτῷ Εφ
εἶναι ἀληθῆ ~Εφ
εἰσι] ἐστι Εφ
48. σου > Εφ
τὸ φῶς ὁδηγοῦν αὐτὴν ~Εφ
ἀληθινὴν > Εφ
49. καὶ + τὴν Εφ
πόσιν + τὴν ἀληθινὴν Εφ
ἥτις] ὅπερ Εφ
ἐστὶν + αὐτὸς Εφ
κύριος Φ] Χριστὸς Εφ
50. λάβῃς + τυφλὸς γὰρ εἶ. οὕτως ἐπηγγείλατο καὶ
οὕτως εὑρίσκει ἡ ψυχὴ τὸν ἀληθινὸν θεὸν Εφ Φ
ἴδῃς] θεωρεῖς Εφ
51. τύφλος - φῶς] καὶ Εφ Φ
52. εὗρες] εὕροις Εφ
καὶ ἀγαθόν > Εφ Φ
53. τῶν + ἀοράτων καὶ Εφ

τὸν φαινόμενον] τῶν φαινομένων Εφ

54. ἔνδον] ἔσω Εφ

ὀφθαλμοὶ οὖς] ὀφθαλμοὺς Εφ

55. ἐκώφωσε Εφ

τοῦτον τὸν ἔσω] τοῦτο σῶσαι καὶ Εφ

ποιῆσαι + ἦλθεν γὰρ ὁ υἱὸς τοῦ ἀνθρώπου ζητῆ-
σαι καὶ σῶσαι τὸ ἀπολωλός Εφ

56. ᾧ - 57. ἀμήν 〉 Εφ

H 44

2. θεῷ Φ] κυρίῳ Γ Ρ Ι
3. τοῦ[2]] εἰς τὸ Γ Ρ Ι
4. ἀναστροφῆς + τῆς ὑστερούσης Γ Ρ Ι Φ
5. καὶ καλὸν] τῶν καλῶν Γ Ρ Ι Φ
   ἀναδειχθῆναι Γ Ρ
   τι > Γ Ρ Ι
7. ἡμῶν > Γ Ρ Ι Φ
   ὥστε - ἀλλάξαι] ἀλλάξαι τὰς φύσεις ἡμῶν Γ Ρ Ι Φ
9. ἰδίῳ αὐτοῦ > Ρ
10. πνεύματι τῆς αὐτοῦ θεότητος ~Ρ
    καὶ > Ρ
12. ἦλθεν τοὺς πιστεύοντας αὐτῷ ~Γ Ρ Ι Φ
    ἤτοι > Γ Ρ Ι
13. φωτὶ ἑαυτοῦ ~Ρ
    ἵνα] ὥστε τὸν Ρ, τὸν Γ Ι
    βάλῃ > Γ Ρ Ι
14. οἶνον + ἐμβαλεῖν Γ Ρ Ι Φ
15. τὸν ἄνθρωπον Φ] αὐτὸν Γ Ρ Ι
17. καὶ πάσης Γ Ρ Ι
18. αὐτὸν[1]] ἑαυτὸν Γ
19. ἀπὸ] ἐκ Γ Ρ Ι
    καινὸν + αὐτὸν Γ Ρ Ι Φ
20. αὐτὸν] ἑαυτὸν Γ
21. μεταβαλὼν + τὴν φύσιν τοῦ ὕδατος εἰς οἶνον καὶ Γ Ρ Ι Φ
22. φύσει] φύσιν Γ

ἀλόγου ὄνου (ὄνῳ Γ Ι) ~Γ Ρ Ι
φωνήν] βρῶμα Φ
23. φύσιν πυρὸς ~Γ Ρ Ι
24. Θηρίων ἀγρίων ~Ρ
25. οὗτος Φ] οὕτως Γ Ρ
καὶ[2]] τὴν Γ Ρ Ι
ἀπὸ] ὑπὸ Γ Ρ Ι
27. ἐπαγγελίας + αὐτοῦ Γ Ρ Ι Φ
ἀγαθῷ + μετὰ γὰρ τὴν παράβασιν τοῦ Ἀδὰμ (+ τῆς Ι) φωνῆς θεοῦ οὐκ ἤκουσεν (ἤκουεν Ρ) ἡ ψυχὴ, διότι κεκώφωτο Γ Ρ Ι Φ
28. ὃν] ὁ Γ Ι, ὥσπερ Ρ Φ
γὰρ] δὲ ὁ Ρ
τρόπον 〉 Γ Ρ Ι Φ
φωριοῦν Ρ
δύναται 〉 Γ Ρ Ι Φ
θεραπεύει Γ Ρ Ι Φ
29. καὶ] πρόβατον δὲ πρόβατον οὐ δύναται θεραπεύσας ἢ Γ Ρ Ι Φ
ἀπὸ - φυλάξαι] φυλάξαι ἀπὸ τῶν λύκων Γ Ρ Ι
ὡσαύτως] τὸν αὐτὸν τρόπον καὶ Γ Ρ Ι
ἀληθινὸς + καὶ καλὸς Γ Ι Φ
30. φωριοῦν Ρ
33. τὴν 〉 Ρ
θυσιῶν καὶ δώρων ~Γ Ρ Ι Φ
ῥαντισμὸν Γ Ρ Ι Φ
34. θεραπεῦσαι] καθαρίσαι Γ Ρ Ι Φ
35. ἀσθένειαν + ἁμαρτίας Γ Ρ Ι Φ
περιέκειντο + ἀλλὰ μᾶλλον πόνον ἐπὶ πόνον (πόνῳ Ρ) καὶ μώλωπα ἐπὶ μώλωπα (μώλωπι Ρ) προσετίθεσαν αὐτοῖς σὺν τῷ ἔσωθεν πόνῳ, καὶ ἔξωθεν ἕτερον πόνον καμάτων καὶ περισπασμῶν καὶ ζημιῶν Γ Ρ Ι Φ
36. ἀφελεῖν] ἀφαιρεῖν Γ Ρ

ὁ δὲ] ἀλλὰ καὶ ὁ Γ Ρ Ι
38. μήτε] μηδὲ Γ Ρ
θεραπεύειν (θεραπεῦσαι Ρ) δυνάμενοι Γ Ρ Ι
39. καὶ + ὁ Γ Ρ Ι
40. μου 〉 Ι
42. προσενεχθέν + ὑπὲρ πάντων Γ Ρ Ι Φ
προσερχομέμους Φ + ἐγὼ μόνος Γ Ρ Ι
δυνάμενος Φ] δύναμαι Γ Ρ Ι
θεραπεῦσαι + περὶ γὰρ ἐκείνων τῶν δῆθεν ἰατρῶν καὶ διδασκάλων δεικνὺς ὁ ἀπόστολος τὴν ἀσθένειαν αὐτῶν ἔλεγε πρὸς αὐτούς. "ὁ διδάσκων ἕτερον σεαυτὸν οὐ διδάσκεις; ὁ κηρύσσων μὴ κλέπτειν κλέπτεις; ὁ λέγων μὴ μοιχεύειν μοιχεύεις; ὁ βδελυσσόμενος τὰ εἴδωλα ἱεροσυλεῖς" καὶ ἐν μὲν τῷ φανερῷ πρὸς τοὺς διδασκάλους ὁ ἀπόστολος ἔλεγεν, οἱ ἐσύλων (ἐσύλουν Ι) τὰ τοῦ ἱεροῦ καὶ ἀπεκόμιζον εἰς τοὺς ἰδίους οἴκους (〉 Φ) καὶ διδάσκοντες αὐτοὺς δικαιώματα σαρκὸς μόνον καὶ ἐκεῖνοι προσέχοντες αὐτοῖς ὡς ἀληθινοῖς διδασκάλοις. ἐσυλοῦντο τοῦ μὴ προσέρχεσθαι καὶ διδόναι ἑαυτοὺς τῷ θεῷ, ἵνα ὄντως ἰαθῶσιν. εἰς δὲ τὸ πνευματικὸν νῦν ἕκαστος ὁ διὰ τῶν ἰδίων μόνον ἔργων καὶ μὴ διὰ τῆς χάριτος δικαιοῦσθαι νομίζων ἱερόσυλός ἐστι. τὸ γὰρ ἱερὸν τοῦ θεοῦ ἡ ψυχή σου ἐστί. δὸς (+ οὖν Ρ) αὐτὴν διὰ τῆς πίστεως καὶ ἀγάπης αὐτῷ, τῷ κυρίῳ, τῷ ἀληθινῷ ἰατρῷ, τῷ δυναμένῳ σῶσαι καὶ θεραπεῦσαι. μὴ γὰρ νομίσῃς, ὅτι διὰ τῆς ἰδίας σου μόνον δυνάμεως θεραπευθῆναι δυνήσῃ ἐκ τοῦ τραύματος καὶ λέπρας τῆς ἁμαρτίας τῶν παθῶν. (+ ὡς Ρ) ἐνεπόδιζον γὰρ (γὰρ ἐνεπόδιζον ~Ρ) αὐτοὺς (〉 Ρ)· ἐκεῖνοι (ἐκείνους Ρ) οἱ δοκοῦντες εἶναι διδάσκαλοι προφάσει δικαιωμάτων σαρκός. καὶ δεῖ (καὶ δεῖ 〉 Ρ) ὡς καλῶν (+ ὄντων τῶν Ρ)

νομικῶν ἔργων τοῦ μὴ προσέρχεσθαι τῷ ἀληθινῷ ἰατρῷ Χριστῷ καὶ δωρεὰν ἰᾶσθαι. καὶ γὰρ ἡ αἱμορροοῦσα γυνὴ πάντα τὰ ἑαυτῆς δαπανήσασα τοῖς ἰατροῖς, οὐκ ἴσχυσε θεραπευθῆναι, ἕως οὗ ἐλθὼν ὁ ἀληθινὸς ἰατρὸς ὄντως ἰάσατο αὐτήν. οὕτω καὶ ἡ ψυχὴ ἐκ τῶν ἑαυτῆς μόνον δικαιωμάτων (ἰδιωμάτων Ρ) σαρκὸς (σαρκικῶν Ρ) ἀδύνατον ἰαθῆναι ἀπὸ τῶν ἀληθινῶν (〉 Φ), (+καὶ Ρ) κρυφίων παθῶν Γ Ρ Ι Φ

43. τῇ ψυχῇ Γ Ρ Φ
ἀπὸ + τοῦ Γ
μόνον Ρ
ἴδε Ρ

44. τῆς 〉 Γ Ρ

45. ψυχῆς] αὐτῆς Γ Ρ Φ
δηλονότι 〉 Γ Ρ Φ

46. καρδίας + ἐδίδοσαν γὰρ ἑαυτοὺς τὸ πρὶν οἱ ἄνθρωποι (οἱ ἄνθρωποι τὸ πρὶν ~Ρ) τοῖς ἐπαγγελλομένοις θεραπεύειν καὶ οὐκ ἰῶντο τὰς ψυχὰς, ὅτι ἡ θεραπεία ἄνωθεν μόνον παρὰ θεῷ τῇ ψυχῇ γίνεται Γ Ρ Φ

47. ψωριοῦν Ρ
καλὸς θεραπεύει ~Γ Ρ

48. εἰ] ἐὰν Γ Ρ
θεραπευθῇ] θεραπεύσῃ Γ Ρ

49. πρόβατον + ὅπερ ἐστὶν Γ Ρ Φ

50. ἐν - εἴρηται] διὰ τοῦ νόμου. ὥσπερ Γ Ρ
εἰκονος καὶ σκιᾶς ~Γ Ρ + τὴν κατὰ ψυχὴν λέπραν μηνῦον τὸ πνεῦμα αἰνίσσετο Γ Ρ

51. καὶ] ἢ Γ Ρ
ταῦτα - 52. πνεῦμα] γράφει (+ τὸ πνεῦμα Ρ) οὕτως Γ Ρ Φ

53. προσέτασσε Γ Ρ

54. παρακαλήσει πολλῇ] παρακαλοῦντα Γ Ρ Φ
55. λέπραν + καὶ Γ Ρ
56. καὶ[1] 〉 Γ Ρ
καὶ[2] + ὁ Γ Ρ
57. λεπριώσαις Γ
58. ἐπικαμπτόμενος 〉 Γ Ρ Φ
εἰσερχόμενος Γ Ρ
59. καὶ[1] 〉 Γ Ρ
62. ἀληθινῷ] ἐπουρανίῳ Γ Ρ Φ
ἀρχιερεῖ + Χριστῷ Γ Ρ
65. φησιν 〉 Γ Ρ
66. ψυχὴν + ταύτην Γ Ρ Φ
πιστεύσασαν τῷ Γ Ρ
67. μεταλλαγῆναι Ρ
πονηρᾶς 〉 Γ Ρ
ἑτέραν + ἄρα Ρ
68. ἀγαθὴν] ἄρα θεικὴν Γ, θεικὴν Ρ
φύσεως + τῆς Γ Ρ
φύσιν θεΐαν ~Γ Ρ Ι
69. αὐτὴν 〉 Ρ
71. πιστευόντων Γ Ρ Ι
ἀγαπώντων Γ Ρ Ι
72. ἀναστρεφομένων Γ Ι Φ
εἰ] ὥσπερ Γ Ρ Ι
73. γὰρ + ἐκεῖ Γ Ι
ξύλον + ὁ προφήτης Ρ Φ
βληθὲν] βαλὼν Γ Ρ Ι Φ
ξύλον βαλὼν Γ Ι Φ, προφήτης βαλὼν Ρ
74. τὸ - σιδήριον] τὸν τῇ φύσει βαρὺν σίδηρον Γ Ρ Ι
πόσῳ] πόλλῳ Ρ
ἀποστέλλει Ρ Ι
75. καὶ[2] 〉 Ρ
ἐπουράνιον (οὐράνιον Γ Ι) καὶ ἀγαθὸν ~Γ Ρ Ι
76. δι'αὐτοῦ] κατελθὼν (κατελθὸν Ρ) πρὸς Γ Ρ Ι Φ

βεβυθισμένην + ἐν Γ Ρ Ι

ἀνενέγκει Ρ, + καὶ πτεροῖ Ρ

77. κουφίσῃ Γ Ι, κουφίζει αὐτὴν Ρ

καὶ² 〉 Ρ

πτερώσει + αὐτὴν Γ Ι Φ

πτερώσει 〉 Ρ

πρὸς] εἰς Γ Ρ Ι

μεταβάλῃ Γ, μεταβάλλει Ρ, μεταβάλλῃ Ι

78. ἀλλάσσει Ρ

79. διαπερᾶσαι Γ Ρ

εἰ] ἐὰν Γ Ρ Ι

ἔχῃ Γ Ρ Ι

80. ἐλαφρὸν καὶ κοῦφον ~Γ Ρ Ι

81. ἀπόλλυται + ὁ (ὁ 〉 Γ Ι Φ) ἄνευ τοῦ πλοίου Γ Ρ Ι Φ

82. ἂν] ἐὰν Γ Ι, 〉 Ρ

ἐπιβαίνων Ρ

τις ἐν 〉 Ρ

85. εἰ] ἐὰν Γ Ρ Ι

ἐλαφρὸν + καὶ κοῦφον Γ Ρ Ι

86. δέξεται] δέξηται τὸ Γ Ρ Ι

87. διοδεῦον] διῆκον Γ Ρ, διοῖκον Ι

δι'οὗ] ὃ (ᾧ Ρ) ἐπιβᾶσα Γ Ρ Ι Φ

εὐθύδρομος Γ

88. δυνηθῇ Γ Ρ Ι

καταντῆσαι + καὶ Ρ

89. δὲ] γὰρ Γ Ι, 〉 Ρ

τῷ 〉 Ι

πλοίῳ + οὐκ Γ Ρ Ι

οὔτε - 90. ἔχουσιν Φ 〉 Ρ

οὔτε] οὐδὲ Γ Ι

90. τοῖς πλοίοις Γ Ρ Ι

91. αἱ - Χριστιανῶν Φ 〉 Γ Ρ Ι

ἐκ] ἐντεῦθεν Γ Ι

93. λαμβάνουσι Φ + αἱ ψυχαὶ τῶν Χριστιανῶν Γ Ρ Ι
κἀκεῖθεν ζῶσαι Φ] καὶ ἐκεῖθεν τρεφόμεναι ζῶσι, καὶ Γ Ρ Ι
τοῦ + ἁγίου καὶ Γ Ρ Ι Φ
καὶ ζωοποιοῦ 〉 Γ Ρ Ι Φ
94. ἀρχῶν] ἀρχόντων Γ Ρ Ι
95. πονηρὰς] πονηρῶν Ι
φύσεως + τουτέστι Γ Ρ Ι Φ
96. κατασκευάζεται Γ Ρ Ι
ὧν] οὗ Γ Ι
οἱ ἄνθρωποι 〉 Γ Ι Φ
δυνήσονται 〉 Γ Ρ Ι
97. θάλασσαν δυνήσονται (δύνανται Ρ) ~Γ Ρ Ι
θεότητος + ψυχὰς Γ Ι, + δυνάμεις Ρ
οὐρανίου] ἐπουρανίας Γ, ἐπουρανίους Ρ Ι
98. ψυχαὶ τῶν Χριστιανῶν ~Γ Ρ Ι
δυναμούμεναι] δέχονται καὶ ἐν αὐτῷ (αὐταῖς Ρ) Γ Ρ Ι Φ
99. ὑπερίπτανται τὴν ὅλην Γ Ρ Ι Φ
πονηρίαν] πορείαν Ρ
100. ἐπεὶ δὲ] ἀλλὰ Γ Ρ Ι Φ
τὸ - χρῄζει Φ] χρῄζει τοῦ πλοίου καὶ κυβερνήτης Γ Ρ Ι
καὶ[2] - ἡδέος] εὐφόρου τε Ρ
εὐκράτου] ἡδὺς Γ Ι
ἡδέος] εὐθὴς Γ Ι Φ
101. ἄνεμος Γ Ι
πρὸς] εἰς Γ Ρ Ι
τὸ + οὔρια Γ Ρ Ι
καλῶς 〉 Γ Ρ Ι
κύριος πάντα ταῦτα ~Γ Ρ Ι Φ
αὐτὸς + οὖν Γ Ρ Ι
103. πονηρίας + τῶν πάθων Γ Ρ Ι Φ
104. ἁμαρτίας] κακίας Γ Ρ Ι Φ

105. διαλύει Γ Ρ Ι Φ
αὐτῶν] τῶν παθῶν, καὶ διεγείρει (διάγει Γ) καὶ ῥύεται αὐτὴν Γ Ρ Ι Φ

106. κυβερνήτου Φ ⟩ Γ Ρ Ι
τινι] τινα Γ Ρ Ι
πονηρὰν] φοβερὰν Γ Ρ Ι Φ

107. πικρῶν] ποικίλων Γ Ρ Ι Φ
καταφυσήματα] φυσήματα Ρ

109. δὲ] γὰρ Γ Ρ Ι
πολέμων] πόλεμον Γ Ρ Ι

110. πειρασμῶν] πειρασμὸν Ρ Ι
τῶν + νοητῶν Γ Ρ Ι Φ

111. δύναται + καὶ Ι
βοηθῆσαι + δόξα τῇ μεγαλειότητι αὐτοῦ Γ Ρ Ι Φ

113. καταστάσεως καὶ φύσεως Γ Ρ Ι Φ
καὶ^{2}] ὥστε Ρ
γενέσθαι + ἡμᾶς Ρ

114. ἐκ^{2} + πονηρῶν καὶ Γ Ρ Ι Φ

116. μακάριος + ἀπόστολος Γ Ρ Ι Φ
μεταβολῆς αὐτοῦ] μεταστροφῆς Ι

117. αὐτοῦ + καὶ μεταστροφῆς Γ Ρ Φ
καταλήψεως] μεταλήψεως Ρ
ὑπὸ + τοῦ Γ Ρ Ι
γράφει] λέγει Ρ Φ
ταῦτα ⟩ Γ Ρ Ι

118. ὑπὸ + τοῦ Ρ

119. ἐὰν + τις διώκῃ θηρία πρὸς τὴν ἑαυτοῦ ἀναίρεσιν διώκει, ὑπό τινος δὲ καταληφθῇ καὶ ἐπιστραφῇ καὶ ζήσῃ. τὸν αὐτὸν τρόπον καὶ ἡ ψυχὴ διώκουσα πρότερον τὰ κακὰ καὶ τὰ πάθη, πιστεύσασα δὲ τῷ θεῷ διὰ τῆς κλήσεως τοῦ λόγου, καὶ ἐπιστρέψασα ἐν μετανοίᾳ καταλαμβάνεται ὑπὸ τοῦ κυρίου καὶ λυτροῦται ἐκ τοῦ θανάτου τῶν νοητῶν καὶ πονηρῶν θηρίων. καὶ γὰρ Παῦλος οὕτω κατ-

ελήφθη. ὥσπερ Γ Ρ Ι Φ
τινὰ > Γ Ρ Ι
120. ἁρπάξας Γ Ι
ἀπάγῃ] τινὰ ἀπάγει Γ Ρ
εἶτα + δὲ Γ Ι
βασιλέως + καὶ ἐπιστρέφει (ἐπιστρέφῃ Ρ Ι) πρὸς ἑαυτὸν Γ Ρ Ι Φ
121. καὶ Παῦλος] αὐτὸς Γ Ρ Ι Φ
ὅτε] τότε Γ Ρ Ι Φ
ἐνηργεῖτο] κινούμενος Ρ Φ, > Γ Ι
122. ἐσκύλευεν τὴν ἐκκλησίαν ~Γ Ρ Ι
ἀλλ'> Ρ
ἐπειδὴ] ἐπὶ Γ Ι, εἰ καὶ Ρ
123. κατὰ - ἐποίει > Ρ
ἐποίει] ἐδίωκε Γ Ι
ἀγωνιζόμενος + ἀλλὰ κατὰ ἄγνοιαν ἐδίωκε Ρ
οὐ παρωράθη > Γ Ρ Ι Φ
124. ἀλλὰ > Γ Ρ Ι Φ
κατέλαβεν + οὖν Ρ
κύριος + ὁ ἀληθινὸς καὶ ἐπουράνιος βασιλεὺς Γ Ρ Ι Φ
περιλάμψας ἀρρήτως] φωτὶ ἀρρήτῳ τοῦτον Γ Ρ Ι Φ
ὁ - 125. βασιλεὺς] περιαστράψας Γ Ρ Ι Φ
125. αὐτοῦ - ἀξιώσας] ἑαυτοῦ καταξιώσας αὐτὸν Γ Ρ Ι
ῥαπίσας + αὐτὸν Γ Ρ Ι Φ
126. ἠλευθέρωσεν + καὶ οὕτω ῥοπῆς (ῥοπῇ Ρ) ὥρας εἰς τρίτον οὐράνιον ἀνενέγκας (ἀνήνεγκε Ρ) εἰς τὸν παράδεισον ἁρπάσας (ἥρπασε Ρ) καὶ μυστηρίων θείων ἀποκρύφων ἀκοῦσαι καταξιώσας (κατηξίωσεν Ρ) ἃ οὐκ ἐξὸν ἄνθρωπον (ἀνθρώπῳ Ρ, ἀνθρώπων Ι) λαλῆσαι Γ Ι Φ
ἀγαθότης Γ Ι
καὶ μεταβολὴν > Ρ
μεταβολή Γ Ι

128. καὶ[1] ⟩ πῶς Ρ
ῥοπῆς Γ
129. μετενεγκεῖν] μετάβαλειν (μεταβαλῆν Ι) δύναται
Γ Ι, μεταβάλλει Ρ
παρὰ + τῷ Γ Ι, τῷ Ρ
θεῷ + τῇ ῥοπῇ τοῦ ῥαπίσματος (βαπτίσματος Ι)
Παῦλος εἰς οὐρανοὺς εὑρέθη Γ Ρ Ι Φ
ὥσπερ] ὁμοίως καὶ Γ Ρ Ι
λῃστοῦ + τὸ αὐτὸ Γ Ρ Ι
130. ῥοπῆς Γ Ι
πίστεως + αὐτοῦ Γ Ρ Ι
ἀπεκατέστη] ἀποκατεστάθη Ρ + δόξα τῇ δυνάμει
τῆς μεγαλειότητος αὐτοῦ Γ Ρ Ι Φ
131. τοῦτο + γὰρ Γ Ρ Ι
132. φύσεως καθὼς γέγραπται ~Γ Ρ Ι Φ
134. ὁδηγῶν Γ
136. εἴη] δεῖ Γ Ρ Ι Φ
137. χρὴ οὖν] καὶ Γ Ρ Ι
139. ὥστε ⟩ Γ Ρ Ι
δέξασθαι] δόξασθαι Ρ Ι
141. εἰ] ἐὰν Γ Ρ Ι
ψυχὴ δέξηται ~Γ Ρ Ι
142. πνεύματος + καὶ Ρ
144. ἀμώμως - ἐπιτελεῖν Φ ⟩ Γ
ἀμώμως - ἐπιτελεῖν] κατορθῶσαι Ρ Ι
εἰς] ἐν Ρ Ι, ⟩ Γ
τὴν βασιλείαν] τῇ βασιλείᾳ Γ Ρ Ι
145. τοῦτο ⟩ Γ Ρ Ι Φ
146. αὐτοῦ] αὐτῷ Γ Ρ Ι
ζωὴ + αἰώνιος Γ Ρ Ι Φ
διὰ - 147. αἰῶνας ⟩ Γ Ρ Ι

H 46

2. ὁ^{1} + γὰρ Γ Ρ Ι Φ
3. πολλὴ δὲ] καὶ πολλὴ Γ Ρ Ι Φ
   καὶ μεσότης] ἀνάμεσον Ρ
   τε ⟩ Γ Ρ Ι
5. ἕκαστον γὰρ] καὶ ἕκαστον Γ Ρ Ι Φ
   γονεῦσιν ἔοικε ~Γ Ρ Ι
   εἰ οὖν] ἐὰν Γ Ρ Ι
   θελήσει] θελήσῃ Γ Ι
   τὸ + ἐκ Γ Ρ Ι
6. ἑαυτὸ Γ Ι
   τὰ πράγματα] τῶν πραγμάτων Ρ
7. τῆς δόξης Ρ
8. ἀληθινὴν] ἀληθινῆς Γ Ρ Ι
   δυνάμενον Γ Ι Ρ
   γὰρ + ὄντως Γ Ρ Ι Φ
9. καὶ ⟩ Γ Ρ Ι
   ὡς ⟩ Ρ Ι
10. φησιν ⟩ Ρ
   ὁ κύριος ⟩ Γ Ρ Ι
11. δεσμούμενος Φ] κρατούμενος Ρ
12. κατεχόμενος] ἐνεχόμενος Γ Ρ, ἀνεχόμενος Ι
   ὢν ⟩ Γ Ρ Ι
13. ἐὰν] ἐπὰν Γ Ρ Ι
   θηλήσῃ] ἐπακούει Γ Ι Φ, ἀκούῃ Ρ
   ἀκοῦσαι ⟩ Γ Ρ Ι Φ
   ἀλόγιστος] ἀλώιστος Γ Ι
14. τῆς κακίας] κακαῖς Γ Ρ Ι Φ

15. ἀκούουσιν Γ Ι
ἀηδεῖ] ἀσυνήθει Ρ
περιοχλούμενοι] καταυγαζόμενοι Γ Ρ Φ
περιοχλούμενοι ⟩ Ι
16. φησὶ δὲ] ὡς Γ Ρ Ι
Παῦλος] ὁ ἀπόστολος φησίν Γ Ρ Ι Φ
δὲ^{2} ⟩ Γ Ρ Ι Φ
17. πνεύματος + τοῦ θεοῦ Γ Ρ Ι Φ
λέγει ⟩ Γ Ρ Ι
ἐγένετο + φησὶν Γ Ρ Ι
18. ὅτι + εἰς ὃν αἰῶνά τις οὐ γεγέννηται Γ Ρ Ι Φ
ἀλλαχοῦ] αὐτὸν ἐκεῖ Γ Ρ Ι Φ
εἰ - 19. λόγον ⟩ Γ Ρ Ι Φ
20. ἕτερος Γ
περὶ + τοῦ Γ Ι
τούτου] αὐτοῦ Γ Ρ Ι
ἐὰν] εἰ δὲ (δὲ ⟩ Ι) Γ Ρ Ι
22. ἀπὸ ⟩ Γ Ρ Ι
προτέρας + καὶ παλαιᾶς Γ Ρ Ι
ἐκείνης - πονηρίᾳ] τῆς εἰς τὴν πονηρίαν τοῦ κόσμου Γ Ρ Ι
ζωῆς + καὶ τότε ζῆσαι δύναται εἰς τὸν τοῦ θεοῦ λόγον. ἀναγεννηθῆναι γὰρ δεῖ ἀπὸ τῆς προτέρας κακίστης ζωῆς τὸν βουλόμενον ἐν ἑτέρᾳ ζωῇ ἑαυτὸν ἐπιδοῦναι Γ Ρ Ι Φ
ὥσπερ δὲ] καὶ ὥσπερ Γ Ρ Ι Φ
εἰ] ἐὰν Γ, ⟩ Ρ Ι
τις] τινος Ρ
23. νόσῳ] νοσοῦντος Ρ Φ
κατέχεται] κατεχομένου Ρ Φ
εἰ ⟩ Γ Ρ Ι
τὸ + μὲν Γ Ρ Ι
σῶμα + ἰδοῦ Γ Ι Φ
ἐπὶ - ἔρριπται] ἔρριπται ἐν τῇ κλίνῃ Γ Ρ Ι

24. ἔργων + ἀλλ᾽ὅμως ἡ γλῶσσα λαλεῖ περὶ αὐτῶν τῶν ἔργων Γ Ρ Ι Φ
25. περὶ + τῆς Γ Γ Ι
27. καὶ 〉 Γ Ρ
ψυχὴ + καὶ ὁ νοῦς Γ Ρ Ι Φ
28. γεγονυῖα] γεγονὼς Γ Ρ Ι Φ
καταστὰς Γ Ρ Ι Φ
προσερχόμενος δὲ Γ Ρ Ι Φ
πιστεύων Γ Ρ Ι Φ
29. αὐτοῦ 〉 Γ Ρ Ι Φ
τυχεῖν Γ Ρ Ι Φ
ἀρνησάμενος Γ Ρ Ι Φ
30. παλαιᾷ 〉 Γ Ρ Ι Φ
ἀσθενείᾳ + τῆς ἁμαρτίας Γ Ρ Ι Φ
κατάκειται + ἡ ψυχὴ Γ Ι Φ
δυνάμενος Ρ
32. τὸ[1]] τῷ Γ, καὶ Ρ
τὸ[2]] τοῦ Γ, καὶ Ρ
33. φασί τινες ~Γ Ρ Ι
κακοδιδασκαλίας] πλάνῳ διδασκαλίας Γ Ρ Φ, πλάνῳ διδασκαλίᾳ Ι
ὑπαγόμενοι] ἀπαγόμενοι Γ Ρ Ι
34. οὐ] οὐδὲν Γ Ρ Ι Φ
τι 〉 Γ Ρ Ι Φ
35. καὶ - διαπράττεσθαι 〉 Ι
ἰσχύῃ] ἔργον ἀκμὴν δύναται Γ Ρ Ι Φ
διαπράξασθαι Γ
36. ἀδυνατῇ] ἀδυνατεῖ Γ Ρ
καὶ 〉 Γ Ρ Ι Φ
37. καὶ[1] 〉 Γ Ρ Ι
ἐπιζητοῦν] ἐπιζητὸν Γ, ἐπιζητεῖ Ρ
σπλαγχνίζεται + ἡδομένη Γ Ρ Ι Φ
39. ἀπελθεῖν Γ Ρ Ι
40. παιδίου] παιδὸς Γ Ρ Ι

ζήτησιν + καὶ πόθεν Γ Ρ Ι Φ
αὐτὸ] αὐτὸν Ρ
περὶ - 41. βρέφος 〉 Ρ
περὶ] πρὸς Γ Ι
41. ἀγάπης + αὐτοῦ Ρ
καὶ ἀναλαμβάνει 〉 Γ Ρ Ι
θάλπει Ρ
42. τροποφορεῖ Γ, διατρέφει Ρ
τοῦτο - 43. ψυχῇ 〉 Γ Ρ Ι Φ
44. πολὺ δὲ] αὐτὸς πολὺ Γ Ρ Φ
αὐτὸς - φερόμενος] τῇ ἑαυτοῦ χρηστότητι προσ-
έχων τῇ Γ Ρ Φ
καὶ - χρηστότητι] αὐτῆς ἀγάπης Γ Ρ Φ
46. τῆς - 49. πνεῦμα 〉 Ρ
47. ἀγαπῶντος + αὐτὴν καὶ Γ Φ
48. λοιπὸν τῆς διανοίας ~Γ
49. εἰς μίαν[2] 〉 Ρ
50. γίγνονται] γίνεται Γ Ρ
τὸ + μὲν Ρ
51. καὶ ἡ] ἡ δὲ Ρ
αὐτῆς - ὅλου 〉 Ρ
τῇ[2]] ἐν τῇ Γ Ρ
52. πολιτεύεται + καὶ Γ
53. κἀκεῖ] καὶ Γ Ρ Φ
54. ἐν[2] - καθεζόμενος] καθεζόμενος ἐν οὐρανοῖς Γ Ρ Φ
56. μὲν γὰρ 〉 Γ Ρ Φ
57. τὴν δὲ] καὶ τὴν Γ Ρ
58. τέθεικεν] ἔθετο Γ Ρ
αὐτὸς αὐτῇ] αὐτὴ αὐτῷ Γ Ρ Φ
59. κἀκείνη αὐτῷ] καὶ αὐτὸς αὐτῇ Γ Ρ Φ
ἐπουρανίῳ] τοῦ σώματος Ι Ρ Φ
αὕτη] αὐτὴ Γ Ρ Φ
60. αὐτὴν ἐκληρονόμησεν ~Ε Ρ
61. γὰρ 〉 Ρ Φ

ψυχῆς γίγνεται ~Γ Ρ Ι
κληρονομία[2] γίγνεται 〉 Γ Ρ Ι
62. γὰρ + καὶ Γ Ρ
ἐν + τῷ Ρ
ἁμαρτωλῶν] ἁμαρτίας Ρ + ὄντων Γ Ρ Ι
63. τοσοῦτον 〉 Ρ
εἶναι - μακρὰν 〉 Ρ
ἀποδημεῖ] ἀποδημῶν Ρ
64. καὶ[1] 〉 Ρ
μακροτέρας] πορρωτέρας Γ Ι
ἀπελθεῖν - ὥρας] ῥοπῇ ὥρας ἐξελθεῖν Γ Ρ Ι
ῥοπῇ] ῥοπῆς Γ, ῥοπῷ Ι, ῥιπῇ Ρ
ἰσχύει] δύναται Γ Ρ Ι
65. ἐρριμένου] ἔρριπται Γ Ι
σώματος ἐν τῇ γῇ ~Ρ
τῷ σώματι Γ Ι + καὶ Γ Ι Φ
διάνοια + αὐτοῦ Γ Ι
66. ἀγαπητὸν + αὐτῆς Γ Ρ Ι
ἢ - τυγχάνει] τυγχάνει ἢ πρὸς τὴν ἀγαπητὴν Γ
Ρ Ι
ἑαυτὸν] αὐτὸν Ι, + ἕκαστος Ρ
67. εὔπτερος καὶ ἐλαφρά Γ Ρ Ι, + τι Ι
τε 〉 Γ Ρ Ι
68. αὐτοῦ] αὐτῆς Γ Ρ Ι Φ
πορρωτέρων Γ Ρ Ι Φ
69. πόλλῳ] πόσω Γ Ρ Ι Φ
ἡ 〉 Γ Ρ
ψυχῆς Γ Ι
70. τοῦ ἁγίου 〉 Γ Ρ Ι Φ
71. αὐτῆς ὀφθαλμοὶ ~Ρ Ι
διὰ] ὑπὸ Γ Ρ Ι
ἀπὸ 〉 Γ Ρ Ι
73. κυρίῳ] Χριστῷ Γ Ρ Ι
74. καὶ 〉 Γ Ι

75. διακονεῖν] διακονεῖ Γ Ρ Ι
Χριστῷ] κυρίῳ Γ Ρ Ι Φ
76. καταλαβεῖν] καταλαβέσθαι Γ Ρ Ι
77. ὕψος καὶ βάθος Φ, βάθος καὶ ὕψος Γ Ρ Ι
79. περιαίρει] περιαιρεῖ Ρ, + ὁ Ρ Ι
80. ἀποκαλύπτει - καὶ[2] 〉 Ι
81. τὰ φρονήματα Φ] τὸ φρόνημα Ι+
82. κτίσεως Φ] φύσεως Ρ
83. θεῖον - ὄντως Φ] θαυμαστόν τι (τι 〉 Ρ) καὶ θεῖον ἔργον Γ Ρ Ι
ψυχή + καὶ ὡς φαίνεται καὶ πρὸ τῆς τοῦ σώματος διαπλάσεως ἐδημιούργησεν αὐτήν. ἐν γὰρ τῷ εἰπεῖν" ποιήσωμεν ἄνθρωπον κατ' εἰκόνα ἡμετέραν καὶ ὁμοίωσιν (καὶ ὁμοίωσιν ἡμετέραν ~Ι)" (Γεν 1, 26) παρὰ θεοῦ (θεῷ Ι) ἡ ψυχὴ πεποίηται (ἐπε- ἔπλασε τὸ σῶμα "καὶ ἐνεφύσησε" (Γεν 2, 7) διὰ τοῦ πνεύματος, ἣν ἔκτισε ψυχὴν ἐν τῷ σώματι Ρ Ι Φ , + ὅρα λόγον μὴ συμφωνοῦντα τοῖς ἐκκλησιαστικοῖς δόγμασι Ρ
+ ὁ θεὸς τῶν πατέρων ἡμῶν ὁ ποιῶν ἀεὶ κατὰ τὴν σὴν ἐπουρανίαν ... μὴ ἀποστῇς τὸ ἔλεός σου ἀφ' ἡμῶν τ. ... αὐτῶν ὁ κ. ... τὴν ζωὴν ἡμῶν ἐλ. ... Γ
84. ἐν - αὐτὴν[1] 〉 Γ Φ
γὰρ] δὲ Ρ Ι
αὐτὴν[1]] τὴν ψυχὴν Ρ Ι
τοιαύτην + δὲ Γ, + αὐτὴν Γ Ρ Ι
ἐποίησεν] πεποίηκεν Γ Ρ, πεποίηκας Ι
αὐτὴν[2] 〉 Γ Ρ Ι Φ
ὁ θεὸς 〉 Ρ Ι
ὡς 〉 Γ Ρ Ι Φ
85. αὐτῆς + ὅτι Ρ
μὴ - κακίαν] κακίαν οὐκ ἐνέθηκεν, οὐκ (οὐ γὰρ Ρ) ᾔδει κακίαν ἡ φύσις αὐτῆς Γ Ρ Ι Φ

86. αὐτὴν[1] + καὶ I
88. ἐν 〉 Γ I
τῇ - 89. πίστει] ταύταις P
90. ἐνεθρόνισεν] ἐνθρονιάσας Γ I, ἐνθρονίσας P
αὐτῇ + ἔχουσα ἐν ἑαυτῇ P
91. ἄλλην + τινὰ Γ I
πόλλην + ἔχουσα ἐν αὐτῇ Γ I
92. ἐχαρίσατο αὐτῇ 〉 Γ P I Φ
τὸ] τοῦ Γ P I
καὶ ἀπέρχεσθαι 〉 Γ P I
καὶ[2] 〉 I
94. τοιαύτην ἔκτισεν αὐτὴν ~P
ὥστε] τοῦ Γ P I
εἰς] αὐτὴν Γ P I
95. καὶ + εἰς Γ P I
αὐτοῦ + αὐτὴν Γ P
εἶναι] γενέσθαι Γ P I
καθὼς] ὡς Γ P I
96. κυρίῳ + εἰς Γ P I
ᾧ - 97. ἀμήν 〉 Γ P I

H 48

3. πιστὸς[1.2] Εφ Μα] ἄπιστος Ι

4. ἄπιστος[1.2] Εφ Μα] πιστὸς Ι

5. τὰ + τοῦ αἰῶνος τούτου Εφ Μα

εἰσὶν ἐπαγγέλματα ~Εφ Μα

τοῦ αἰῶνος τούτου ⟩ Εφ Μα

8. εἰς] ἐπ' Εφ Μα

9. ὅτι ὁ κύριος προνοητὴς τῶν] τὸν Εφ Μα

καταφεύγοντα Εφ Μα

10. κατὰ πάντα γίνεται ⟩ Εφ Μα

11. ἐστιν ⟩ Εφ Μα

12. αὐτὸν ⟩ Εφ Μα

13. οὕτως ⟩ Εφ Μα

μόνον ⟩ Εφ Μα

βασιλείαν + τοῦ θεοῦ Ι Εφ Μα, + μόνον Εφ Μα

14. αὐτοῦ ⟩ Εφ Μα

15. τούτων ⟩ Εφ Μα

16. τῷ ⟩ Εφ Μα

παρέχειν Εφ Μα

18. ὅτι πιστεύει Εφ Μα

καὶ[2] + εἰ Εφ Μα

20. ἀκουόντων Εφ Μα

τὸν ... λόγον Εφ Μα

21. δοκιμάζεσθαι καὶ ἀνακρίνεσθαι ~ Εφ Μα

23. αὐτοῦ + πιστεύει Εφ Μα

ἢ] εἰ Εφ Μα

δικαιώσεως] δοκήσεως Εφ Μα

καὶ ⟩ Εφ Μα

24. πιστεύειν νομίζων] πιστεύων νομίζοι Μα

νομίζων] νομίζει Εφ

εἰ 〉 Εφ Μα

ὀλίγῳ] λόγῳ Εφ Μα

πιστὸς ἐστι] ᾧ εἶπεν ὁ κύριος. εἰ πιστεύει Εφ Μα

25. λέγω 〉 Εφ Μα

τὸ δὲ 〉 Εφ Μα

26. λγεις + καὶ Εφ Μα

27. γενέσθαι γεννηθεὶς ἄνωθεν ~Εφ Μα

τοῦ 〉 Εφ Μα

Χριστοῦ] θεοῦ γενέσθαι Εφ Μα

εἰς 〉 Εφ Μα

28. αὐτῷ] Χριστῷ Εφ Μα

30. αἰτίαν + καὶ Εφ Μα

κόσμου] βίου Εφ Μα

κυρίῳ] Χριστῷ Εφ Μα

δέδωκα] ἐξέδωκα Εφ Μα

33. ὡς 〉 Εφ Μα

περιγενόμενος Εφ Μα

34. ἑαυτοῦ Μα]σεαυτοῦ Εφ

ἃ] ἅπερ Εφ Μα

μὴ μεριμνᾶν 〉 Εφ

35. σεαυτοῦ (ἑαυτοῦ Μα) + μὴ μεριμνῆσαι Εφ Μα

αἰωνία καὶ ἀθάνατα ~Εφ Μα

36. ἄφθονα] ἄφθαρτα Εφ Μα

37. ἔδωκε + καὶ θηρίοις καὶ πετεινοῖς Εφ Μα

καὶ^{2} - πετεινοῖς 〉 Εφ Μα

38. ὥσπερ + δὲ Εφ Μα

ἐνετείλατο + τοῦ Εφ Μα

39. ὅλως περὶ τούτων 〉 Εφ Μα

40. ἔθνη + τοῦ κόσμου Εφ Μα

ἐπιζητεῖ + ὑμῶν γὰρ οἶδεν ὁ πατὴρ ὁ οὐράνιος, ὅτι χρῄζετε τούτων ἁπάντων" (Μθ 6, 32). καὶ ἐπάγει ὀνειδίζων τοὺς ὀλιγοπίστους. "ἐμβλέψατε εἰς τὰ πετεινὰ τοῦ οὐρανοῦ, ὅτι οὔτε σπείρουσιν

οὔτε θερίζουσι," "καὶ ὁ πατὴρ ἡμῶν ὁ οὐράνιος
τρέφει αὐτά" (Μθ 6, 26). πόσῳ μᾶλλον διαφέρετε
τῶν πετεινῶν; καὶ πάλιν ἐπασφαλιζόμενος λέγει·
"μὴ οὖν μεριμνήσητε εἰς τὴν αὔριον" (Μθ 6, 34)
Εφ Μα Φ
δὲ + ἔτι Εφ Μα
ταῦτα] τούτων Εφ Μα

41. ἔτι 〉 Εφ Μα
μέριμναν ἔχεις] μεριμνᾷς Εφ Μα
ὅλον 〉 Εφ Μα
σεαυτὸν] ἑαυτὸν Εφ Μα

43. ἔτι 〉 Εφ Μα

44. τιμιώτερόν + ἐστι Εφ Μα

45. ἐστιν 〉 Εφ Μα

48. ἁμαρτίας] ἀτιμίας Εφ Μα

49. πιστῶν] πιστευόντων Εφ Μα
ἀνιάτων + παρὰ ἀνθρώποις Εφ Μα

50. μόνος + θεραπευτὴς καὶ Εφ Μα
καὶ θεραπευτὴς 〉 Εφ Μα

54. ἴδε] εἶδες Εφ Μα
ἀπατᾷς + ὁρᾷς Εφ Μα

57. ἐπίστευες - ὄντι] ἄρα ἀδυνατεῖ Εφ Μα

58. πάθη + τε Εφ Μα
καὶ^2] ἂν Εφ Μα
ἂν 〉 Εφ Μα

59. κατέφευγες] κατέφυγες Εφ Μα
ὑπερορῶν] ὑπεριδὼν Εφ Μα
ἰατρικῶν] ἰατρῶν Ι
ἐπιτηδευμάτων καὶ θεραπείων] ἐπιτηδεύματα Εφ Μα

63. ὁ θεὸς 〉 Ι
τῷ σώματι 〉 Εφ Μα
ἔδωκεν + ὁ θεὸς Ι
θεραπείαν + τῷ σώματι Εφ Μα

64. βοτάνας + καὶ Εφ Μα

τῆς > Εφ Μα

καὶ τὰ > Εφ Μα

65. τὸ] τῷ Εφ Μα

ὃν σῶμα] ὄντι σώματι Εφ Μα

θεραπεύεσθαι > Εφ Μα

66. οἰκονόμησας > Εφ Μα

εἰδῶν + οἰκονομήσας Εφ Μα

67. πρόσεχε - τρόπον] γνῶθι Εφ Μα

68. ᾠκονομήθη Εφ Μα

ἄπειρον + αὐτοῦ Εφ Μα

69. ἐκπεσὼν ὁ ἄνθρωπος] ἐκπεσόντος τοῦ ἀνθρώπου Εφ Μα

εἰλήφει] εἴληφεν Εφ Μα

70. γεγονότος Εφ Μα

71. ἀτιμίαν] ἐρημίαν καὶ ἐξορίαν Εφ Μα

ἢ μετάλλου τινὸς] καὶ μέταλλόν τινα Εφ Μα

ἐργασίαν > Εφ Μα

72. ἐξορισθεὶς] ἐξορισθέντος Εφ Μα

γεγονότος Εφ Μα

73. ἄπιστος ἀπὸ] ἀπίστου διὰ Εφ Μα

καταστάς > Εφ Μα

τὰ > Εφ Μα

74. λοιπὸν > Εφ Μα

τὰ > Εφ Μα

περιπέπτωκεν Εφ Μα

75. δὲ > Εφ Μα

76. ὑποπεπτωκότες Εφ Μα

τοίνυν > Εφ Μα

ταῦτα + νῦν Εφ Μα

77. ὁ θεός > Εφ Μα

τὸ Μα] τὸν Εφ

79. ἐπιμέλειαν καὶ θεραπείαν ~Εφ Μα

τὰ φάρμακα > Εφ Μα

κόσμου + τούτου Εφ Μα

80. καὶ > Εφ Μα

κἀκείνοις] ἐκείνοις Εφ Μα, + γὰρ Εφ Μα
81. τοὺς] τοῖς Εφ Μα
δυναμένοις Εφ Μα
ἑαυτοὺς ἐξ ὅλου ~Εφ Μα
82. τῷ 〉 Εφ Μα
83. ἀνωτέρας καὶ μείζους] ἀνώτερος Εφ Μα
84. ἀνθρώπου + καὶ μείζονας Εφ Μα
εὐδοκίαν 〉 Εφ Μα
85. τῆς 〉 Εφ Μα
ἐπιδημίαν Εφ Μα + τῆς εὐδοκίας Εφ Μα
κόσμου + τούτου Εφ Μα
γενόμενος + καὶ Εφ Μα
87. δόξα - ἀμήν] ἐπεὶ ἐὰν οὕτως, ὡς καὶ πάντες διάγῃς, ἰδὲ καὶ ὁ κόσμος γαμεῖ, ἐσθίει καὶ πίνει, χρυσῷ καὶ ἀργύρῳ κεχρηται, ἐμπορίαις, τέχναις, πλούτῳ, ἅπερ πάντα ᾠκονόμησεν ὁ θεὸς τῷ ἀνθρώπῳ πεσόντι ὑπὸ τὴν ἁμαρτίαν. οὐ γὰρ ἄνευ θεοῦ τι τῶν ἐν χρήσει οἰκονομηθέντων τοῖς ἀνθρώποις ἐροῦμεν εἶναι. σὺ δὲ πάντων τούτων ἐκτὸς γέγονας διὰ τὴν εἰς Χριστὸν τελείαν εὐαρέστησιν. οὕτω δὴ καὶ τῆς τοῦ κόσμου τῶν παθῶν θεραπείας ἰατρικῶν τε ἐπιτηδευμάτων ἐκτὸς εἶναι ὀφείλεις, ὡς προςπεφευγὼς Χριστῷ τῷ πάντα παρέχειν τοῖς ἑαυτοῦ δούλοις ἐπαγγειλαμένῳ. εἰ δὲ τὰ αὐτὰ τῷ κοσμῳ φρονεῖς καὶ πάσχεις, ὅμοιος αὐτῶν ἔτι τυγχάνεις, ἄπιστος, νομίσων εἶναι πιστὸς καὶ οἰκεῖος Χριστοῦ. καινῆς γὰρ καὶ ξένης προαιρέσεως καὶ νοὸς καὶ πίστεως καὶ ἀναστροφῆς καὶ πολιτείας παρὰ πάντα τὸν κόσμον ὀφείλεις ἐπιμελήσασθαι καὶ τυχεῖν ὁ βουλόμενος τελείως εὐαρεσρῆσαι Χριστῷ καὶ τοῖς ἴχνεσιν αὐτοῦ ἐξακολουθῆσαι καὶ τὰ ἐναντία φρονεῖν τῶν τοῦ αἰῶνος τούτου ἀνθρώπου. ἐπειδὴ καινὴν καὶ παράδοξον ἀκοὴν ἐπίστευσας, αἰωνίων ἀγαθῶν ἐπαγγέλματα καὶ πόλεως οὐρανίου

κληρονομίαν καὶ βασιλείας ἀκηράτου καὶ τρυφῆς διηνεκοῦς καὶ αἰωνίου ἀπολαύσεως καὶ καρδίας ἁγιασμὸν καὶ διὰ πνεύματος παντελῆ σοι γενομένην κάθαρσιν.

ὁ γὰρ βουλόμενος ἐξ ἀληθείας Χριστοῦ εἶναι ἄνθρωπος καὶ τῶν αἰωνίων ἀγαθῶν ἐλπίζων ἐπιτυχεῖν τήν τε πενίαν πλοῦτον ἡγεῖσθαι μετὰ χαρᾶς ὀφείλει καὶ τὴν κακουχίαν ἀνάπαυσιν, τὴν σκληρὰν δίαιταν τρυφήν, τὸ ὄνειδος τιμὴν καὶ τὰς ὕβρεις δόξαν λογίζεσθαι·αὕτη γάρ ἐστι τῶν τοῦ θεοῦ δούλων ἡ δόξα τῶν τῷ κυρίῳ αὐτῶν ἀκολουθούντων καὶ τοῖς αὐτοῦ λόγοις πειθομένων, ἀλλ'οὐ μόνον τὸ ὄνειδος ὁ ἀγωνιστὴς καὶ στρατιώτης τοῦ Χριστοῦ φέρειν ὀφείλει, ἀλλὰ καὶ ἐὰν ἀπαντήσῃ πλοῦτος, ὡς κοπρίαν βδελύσσεσθαι προσήκει. ἐὰν δόξα καὶ ἀρχή, μὴ ἐπαρθῇ καὶ τυφωθῇ. ἐὰν ἔπαινοι καὶ τιμαὶ ἀνθρώπων , (+ ὡς Μα) οὐδὲ ὄντα οὕτως ἡγεῖσθαι· μᾶλλον δὲ ἐν τούτοις θλίβεσθαι τοῖς νομιζομένοις ἐνδόξοις καὶ ἐπ' ἐκείνοις χαίρειν καὶ ἥδεσθαι τοῖς ἐν κόσμῳ ἀτίμοις. δύναται γὰρ ἔσθαι ὅτε (ἐσθ' ὅτε Μα) ὄνειδος μὲν ἐνεγκεῖν, δόξας δὲ καὶ τιμὰς μὴ ἐνέγκαι, ἀλλ' ἐπαρθῆναι καὶ ἑαυτοῦ ἐκστῆναι καὶ τὴν ὁδὸν τῆς δικαιοσύνης τὴν ταπεινὴν ἀφιέναι, ὡς φησὶν ὁ Παῦλος·"διὰ τῶν ὅπλων τῆς δικαιοσύνης τῶν δεξιῶν καὶ ἀρστερῶν, διὰ δόξης καὶ ἀτιμίας" (2Κορ 6, 7 - 8), ὅπως τῶν ἀμφοτέρων ἁπαντων πραγμάτων δοκιμζόντων. αὐτὸς ἴσος καὶ ἄσειστος τυγχάνει, ἑαυτῦ μηδέποτε ἐξιστάμενος.

τὸν γὰρ ὄντως εὐαρεστῆσαι τῷ κυρίῳ βουλόμενον οὕτως εἶναι δεῖ καὶ τὸν ἀγῶνα τῆς αὐτοῦ προαιρέσεως οὕτω θεμελιῶσαι. ὥσπερ οὖν ὁ ἄκμων τυπτόμενος ἀεὶ οὐκ ἐνδίδωσιν οὐδὲ κοιλωμάτων τύπους δέχεται εἰς ἑαυτόν, ἀλλ' ἔστιν ὁ αὐτὸς ἴσος ἀεί. οὕτω καὶ ὁ χριστιανζειν βουλόμενος εἰς τὰς διαφόρυς θλίψεις τε καὶ τοὺς πειρασμοὺς ἤτοι τὰς ἔξωθεν ὑπὸ ἀνθρώπων ἐπαγομένας ὕβρεις ἢ διωγμοὺς ἢ ζημίας ἢ τινὰ τοιαῦτα ἤτοι τὰς ἔνδοθεν ὑπὸ τῶν τῆς κακίας πνευμάτων διαφόρως ἐπαγομένας, μενέτω οὖν ἴσος φέρων γενναίως πάντα τὰ ἐπερχόμενα. ὀχύρωμα καὶ αὐλιστήριον καὶ πύργον ἰσχύος ἀπὸ προσώπου ἐχθροῦ ἔχων τὸν κύριον ἀεὶ καὶ ἐπ' αὐτὸν (αὐτῷ Μα) καταφευγέτω ἐν τῷ καιρῷ τοῦ πολέμου ἐν τῇ τῶν ἐχθρῶν χώρᾳ τυγχάνων καὶ λεγέτω· "γενοῦ μοι ὁ θεὸς εἰς καταφυγὴν καὶ εἰς τόπον ὀχυρὸν τοῦ σῶσαίμε" (Ψ 30, 3, Ψ 70, 3).

οὕτως δύνασαι περιγενέσθαι πάντων τῶν ἐπερχομένων πειρασμῶν καὶ θλίψεων πάντοτε τὸν κύριον καὶ τὴν εἰς αὐτὸν πίστιν καὶ ἐλπίδα ὡς βεβαίαν πεποίθησιν διαπαντὸς πρὸ ὀφθαλμῶν ἔχων, ἀλλὰ καὶ δόξα ἀνθρώπων καὶ ἔπαινοι καὶ τιμαὶ καὶ ἀρχαί, ἐὰν ἀπαντῶσιν, ὡς προείρηται, μὴ κοιλότητας καὶ τύπους ἐν τῇ ψυχῇ ἐμποιήτωσαν ἐν τῷ ἥδεσθαι αὐτοῖς καὶ ἐπαναπαύεσθαι καὶ διὰ ταῦτα ἐπαίρεσθαι καὶ ὑψοῦσθαι. διὰ γὰρ δεξιῶν καὶ ἀριστερῶν πειραζόμενος ὁ (〉 Μα) ἄνθρωπος, τουτέστι "διὰ δόξης καὶ ἀτιμίας, διὰ δυσφημίας καὶ εὐφημίας" (2 Κορ 6, 7 - 8), ἴσος καὶ ἀνένδοτος εἶναι χρὴ ἐπ' ἀμφοτέροις τοῖς μέρεσιν ἄσειστος ἀεὶ τυγχάνων. οὕτως ὁ ἐπὶ τὴν πέτραν τὸν ἑαυτοῦ θεμέλιον οἰκοδομήσας . πρώην, πλημμύραι καὶ ποταμοὶ θλίψεων καὶ χειμῶνες πειρασμῶν, ἀνέμων δὲ δεινῶν τῶν πνευμάτων τῆς πονηρίας προσκρουόντων καὶ προσρησσόντων οὐκ ἔπεσεν, ἐπειδὴ τεθεμελίωτο ἐπὶ τὴν πέτραν. εἰς τοιαύτην ἕξιν καὶ ἀγαθὴν μελέτην, ἀνδρείας τε λέγω καὶ γενναιότητος, μακροθυμίας τε καὶ ὑπομονῆς, πίστεως καὶ ἐλπίδος καὶ πεποιθήσεως πρότερον ἐξασκῆσαι αὐτὸν διὰ τοῦ λόγου τοῦ θεοῦ καὶ ἐθίσας ἦθος ἀγαθὸν καὶ ἀγωγὴν ὁσίαν καὶ τοῖς λοιποῖς τῆς ἀρετῆς ἐπιτηδεύμασι διατρίβων καὶ τῷ λόγῳ ἑπόμενος τοῦ θεοῦ, ἔπειτα τὴν ἐξ ὕψους δύναμιν ἐν προσδοκίᾳ πίστεως δεξάμενος, ὁ τοιοῦτος ἀληθῶς γίνεται θεμέλιος καὶ οἶκος καὶ "στύλος καὶ ἑδραίωμα" (1Τιμ 3, 15) ἐν τῇ χάριτι τοῦ θεοῦ καὶ πολλῶν ψυχῶν αἴτιος ζωῆς καθισταται τὴν ἀσθένειαν τῶν πολλῶν βαστάζειν δυνάμενος.

καὶ ἡμεῖς (ὑμεῖς Μα) τοίνυν εἰς πᾶσαν ἀρετὴν ἑαυτοὺς ἐξασκήσαντες καὶ παντὶ τρόπῳ ἀγαθῷ πρὸς τὴν εὐαρέστησιν τῆς ζωῆς ἑαυτοὺς ἀποδόντες καὶ ἀνενδότου πρὸς πάντα πειρασμὸν τοῦ νοῦ γενομένου καὶ ὑπὸ τῆς χάριτος τοῦ θεοῦ δυναμούμενοι τῶν αἰωνίων ἀγαθῶν κληρνόμοι γενώμεθα ἐν Χριστῷ Ἰησοῦ, τῷ κυρίῳ ἡμῶν, ᾧ ἡ δόξα καὶ τὸ κράτος σὺν τῷ πατρὶ καὶ τῷ ἁγίῳ πνεύματι εἰς τοὺς αἰῶνας τῶν αἰώνων (εἰς - αἰώνων] νῦν καὶ ἀεὶ Μα). ἀμήν. Εφ Μα Φ

H 49

Der Anfang dieser Homilie ist nur in der arabischen Symeon-Überlieferung, V fol 82v 4 - 84v 14 = TV h 7, erhalten:

Der Herr ruft diese, die das Himmelreich kennen lernen wollen und ihm nachzufolgen begehren; er sagt nämlich im heiligen Evangelium: "Wer nicht alles aufgibt, was er hat, ist meiner nicht würdig" (Lk 14, 33; und ferner: "Wer Haus oder Acker, Vater oder Mutter, Frau oder Kinder um meinetwillen verläßt, der wird dafür hundertfach empfangen in dieser Welt und das ewige Leben erben" (Mt 19, 29 Par). Der Herr will, daß du in dieser Welt in jeder Weise frei und fremd wirst und mit keiner Frau körperliche Gemeinschaft hast; er sagt dir nämlich, daß du bedürftig, mittellos, arm und dieser gegenwärtigen Welt gegenüber fremd sein sollst. Deswegen befiehlt er dir, in dieser gegenwärtigen Welt zu seufzen und zu weinen (Vgl. Joh 16, 20); er sagt nämlich auch: "Selig sind, die jetzt trauern, denn sie werden getröstet werden" (Mt 5, 4). Kurzum, er befiehlt dir, daß du in dieser Welt ohne jede Annehmlichkeit und Ruhe sein sollst. So sprich auch du zum Herrn: "Herr, du hast uns an allem, was es auf Erden gibt, arm gemacht, an Reichtum, Ruhe und körperlicher Gemeinschaft zwischen Mann und Frau und befohlen, wir sollten deinetwegen Fremdlinge sein. Du hast uns jede Annehmlichkeit dieser Welt und kostbare Kleidung versagt und stattdessen uns alle diese Dinge gegeben.

Darauf wird dir der Herr antworten: "Ich bin gekommen, um dich von der Knechtschaft und den unzerreißbaren Fesseln, mit denen deine Seele gebunden ist, zu befreien, und will dich aus der Finsternis führen, in der du dich befindest, seitdem Adam das Gebot, das ich ihm gegeben hatte, übertrat. Ich bin wegen des unsichtbaren Zaunes gekommen und will die starken Festungen einreißen, die deine Feinde um dich gebaut haben. Ich bin gekommen, um "das sich wendende Feuerschwert" (Gen 3, 24) zu beseitigen, das dich daran hindert, daß du dich "dem Baum des Lebens" (Gen 2, 9) näherst. Denn die Zeit deiner Erlösung, Befreiung und Rückkehr ist nahe. Du warst nämlich in allen vergangenen Zeiten im Gefängnis, ohne daß du es wußtest, dientest in dieser langen Zeit deinen Feinden und erkanntest nicht, daß du ihr Herr bist. Du hast deine Freiheit vergessen und bist zu den Toten geworfen worden, der du über jede Leidenschaft erhaben bist.

Ich habe mich in meiner Gerechtigkeit und Güte deiner Verdammnis erbarmt. Ich bin gekommen, um dich von dieser ganzen Mühsal zu befreien. Statt des Hauses, das du verlassen hast, will ich dir ein ewiges Haus im Himmel geben; statt der unreinen Gemeinschaft mit einer Frau will ich dir die Gemeinschaft mit dem heiligen Geist, die unaussprechliche Gnade, geben; statt dieser sinnlichen Annehmlichkeit will ich dir die unbeschreibliche Annehmlichkeit Gottes bereiten; statt dieses weltlichen Wirkens in irdischer Freude will ich dir eine unvergängliche, ewige Speise und Freude an geistlichen Erscheinungen und an Offenbarungen himmlischer Geheimnisse geben; statt zum irdischen Vater will ich dich zum Vater im Himmel führen; statt der vergänglichen Mutter habe ich dir im Himmel eine

Mutter, das ist Jerusalem, die Stadt des lebendigen Gottes, bereitet; statt der vergänglichen Brüder will ich dir in Ewigkeit ein gütiger Bruder sein; statt dieser Erde, die du verlassen hast, will ich dir die Erde der Lebendigen geben, die die Demütigen erben werden; statt der vielen vergänglichen, wertvollen Kleider und kostbaren Gewänder will ich dir die Kleider des Geistes geben, die in ewiger Ruhe vielfältig leuchten; statt dieser vergänglichen Speise habe ich dir die göttliche, himmlische Speise gewährt; kurzum, statt dieser zeitlichen Güter will ich dir unaussprechlichen Reichtum schenken.

Dein Wille muß aber bereit sein, mir zu folgen, wie ich es dir befohlen habe, daß du mich "mit deiner ganzen Seele, deinem ganzen Eifer und mit deiner ganzen Kraft" (Dtn 6, 5 u. ö.) begehren sollst. Sei wachsam und erstrebe geistige Werke, die verheißenen Güter des Himmels! Denn alles Verheißene will ich dir von jetzt an im Verborgenen, im Geheimen, in deinem inneren Menschen, geben. Ich will es dir gewähren in der Herrlichkeit und Zierde der unaussprechlichen Gaben des Geistes. Du mußt mir nur vertrauen! Wenn du mich von ganzem Herzen liebst, dann will ich es dir, wie ich gesagt habe, von jetzt an geben. Das Angeld des Himmelreiches habe ich dir schon zuvor gegeben, aber jetzt will ich dich im voraus zum Leben erwecken, dich erleuchten, dich mit meiner Herrlichkeit bekleiden und mit jeder Zierde des Geistes schmücken, damit du deiner ewigen Erbschaft und Herrschaft gewiß wirst und glaubst, daß ich bei der Auferstehung deinen Körper mit mir an meinem Lichtkleid und an der Verherrlichung in meiner Herrlichkeit, die ich dir jetzt gebe, teilnehmen lasse.

Da wir nun, meine Brüder, solche Verheißungen haben, wollen wir es für gering halten, allem Sichtbaren zu entsagen und unser Herz nur mit himmlischer Sehnsucht und Liebe zu verbinden. Auch wollen wir nicht meinen, daß unser Dienst, unser Wandel, unser Wachen oder was wir sonst noch tun, etwas sei, weil wir die unendlichen Güter erben können. Dann werden wir auch die Verheißung unserer Erlösung vom Tode verstehen, die von jetzt an, wenn wir der Einwohnung Gottes gewürdigt werden, vollkommen in uns wirksam ist. Paulus sagte nämlich, als er von Christus sprach: "Wir sind sein Haus" (Hebr 3, 6); und ferner: "Gott sagte: Ich werde in ihnen wohnen und in ihnen wandeln" (2Kor 6, Vers 16).

H 49

8. εἰς 〉 I
12. χάριτος Φ] χαρᾶς I
17. δωρεῶν Φ 〉 I
18. ἐν Φ 〉 I
30. οὐχ οἱ] ουχὶ I
34. καὶ + ἡ I
63. δὲ] γὰρ Γ Ρ I+
64. ἠδυνήθησαν Φ + γνῶναι ἢ Ρ
65. ἁγίου 〉 Γ Ρ I+ Φ
67. σύνες, πῶς] συνεστῶς Γ Ρ I+ Φ
69. φύσεως - αὐτῆς Φ] αὐτῆς φύσεως Γ Ρ I+
70. ἀνεννόητον] ἀκατανόητον I I+
71. εὐδόκησεν] ηὐδόκησεν Γ Ρ I+
    εἰς 〉 Γ Ρ I+ Φ
    τοῦτο τὸ Φ] τοιοῦτον Γ Ρ I+
72. ἔργον Φ 〉 Γ Ρ I+
    ἐνοικῆσαι] ποιῆσαι Γ Ρ I+ Φ
73. αὐτοῦ[1.2]] ἑαυτοῦ Γ Ρ I+
    σοφίαν I] συνάφειαν Γ Ρ I+ Φ

καὶ + τὴν ἑαυτοῦ Γ I+

75. ἐπαγγελθεισῶν - 76. τοιαύτης > P

76. εὐδοκίας - κυρίου] εὐδοκία θεοῦ ὑπ᾽αὐτοῦ P
κυρίου] θεοῦ Γ I+

77. μήτε] μηδὲ Γ P I+
αἰώνιον ζωὴν] ζωὴν τὴν αἰώνιον I+

78. ἐπιδοῦναι] ἀποδοῦναι Γ P I I+

79. τῇ - δυνάμει] τῇ δυνάμει τῆς θεότητος αὐτοῦ P

81. καὶ - πλάσμα > P
τὸ > Γ I+

82. καὶ[2]- ἀξιωθῶμεν] ἵνα τυχόντες καὶ καταξιωθέν-
τες Γ I+ Φ, ἵνα τυχόντες P

83. πνεύματος + αὐτοῦ Γ P I+
δοξάζοντες - πνεῦμα] σὺν αὐτῷ ἀπολαῦσαι κατα-
ξιωθῶμεν Γ P I+ Φ

84. τοὺς] ἀπεράντους Γ I+, + ἀπεράντους P Φ
αἰῶνας + τῶν αἰώνων Γ P I+

H 50

2 - 47 = B 4, I, 56, 11 - 58, 11

48. τοιαῦτα + καὶ I
    χρόνῳ] πόνῳ I
61. ἀδικεῖσθαι] ἀνακεῖσθαι I
64. πνεύματος + δοξάζομεν πατέρα καὶ υἱὸν καὶ ἅγιον πνεῦμα I, + εἰς τοὺς αἰῶνας. ἀμήν I+
    ὁμοῦ - 85. δόξα 〉 I+

66 - 76 = B 8, I, 119, 24 - 120, 5